바람난 남자

김영기 에세이

봄봄
스토리

서문

감사(感謝)

40여 년 공직생활을 마치고 화려한 백수로 인생 2막이 시작 되었다.

그동안 나의 속사람을 외면하고 가족을 위해 살아온 오랜 잠에서 눈을 떠보니 새로운 세상이 다가왔다. 백세를 사는 시대에 죽지 못해 사는 것이 아니라 살기 위해 오늘의 시간을 애써 살피며 누려야 한다.

비오는 날이면 생각에 잠겨 빛바랜 사진첩을 꺼내 추억을 더듬고, 잠을 자다가도 일어나서 꿈 꾼 장면의 스토리를 썼다. 총각이 아가씨를 처음 만난 듯 감성에 젖어 홍당무가 된 채 뜬 눈으로 밤을 새운 날도 많았다. 글을 써 내려가는 동안 진달래꽃 동산에서 꽃잎 한 송이 입에 물고 숨바꼭질 하는 소녀가 보일 듯 말 듯 미소 짓는 모습은 무던히도 나를 애타게 했다.

이 세상에 태어나서 누군가를 만나고, 잠시 머물다 가는 나그네 인생길에서 붓가는 대로 그려놓은 그림 속에 떨어진 조각들을 이리저리 맞추어 놓고는 네가 있어 좋았다. 네가 있어 행복하다. 네가 있어 존재의 의미를 갖는다. 마음속으로 되새기며, 숨겨진 비밀상자를 열어 반짝 반짝 빛나는 보석들을 찾았다. 그 울림은 땅을 뒤흔드는 진동이었다.

"문학은 가난하고 고독해야 합니다.
죽어서도 심판을 받고, 유고작이 유명해 지기도 합니다."

소월경암문학관 이철호교수님과 마음을 나누는 문우들의 만남이 시작됐다. 산수가 넘으신 선생님께서는 한 눈 지그시 감은 채 구수한 입담으로, 사랑의 기쁨과 슬픔, 고독과 아픔을 가슴으로 들려주시며 문학세계에 눈을 뜨게 해 주셨다.

평생 걸어온 발자취를 한 땀씩 엮어가는 수필문학의 만남에 온통 마음을 빼앗기고 말았다. 첫사랑에 설레어 잠 못 이루고 뜬 눈으로 밤 지새우며 가슴이 후끈 달아오르는 가슴에 묻어둔 꿈이었다. 어쩌면 좋을까. 글 바람이 났다. 아무도 못 말리는 물로도 끌 수 없는 늦바람이 난 것이다. 그것은 잠시 스쳐가는 봄바람이 아니다. 한 여름 소나기를 몰고 오는 비바람도 아니다. 앞도 보이지 않을 정도로 마음을 뒤흔드는 폭풍의 바람이다.

    문학의 길은 그렇게 화려하지 않고 빛나 보이지 않지만, 뭇사람들 마음판에 진한 봉숭아물로 물들게 했고, 잊혀지지 않는 향수로 남게 하며, 목석같은 사람의 마음을 움직이는 힘이 있다. 빗발치는 시련 속에서도 두려워하지 않고 걸을 수 있는 용기와 담대함이 생겼다. 칼보다 예리한 통찰력과 살아있는 붓을 들고 하얀 백지위에 마음껏 그림을 그려보고 싶다. 책을 내기까지 글 구성과 표현에 대하여 지도해주신 임미옥 선생님께 깊은 감사를 드린다.

2022년 여름밤

창봉 김 영 기

● 차 례

봄

여름

겨울

산모롱이를 지나는데 진달래가 수줍은 듯 방긋 웃는다.

그 너머로 목련꽃도 고개를 내밀고 있다.

나도 웃고 그들도 웃는다.

가을은 울긋불긋한 색깔이 마음에 스며들지만,

봄은 노랑, 분홍, 연둣빛으로

생명력 있고 강렬한 눈빛으로 다가온다.

봄

태몽 胎夢

어머니는 그 자리에 계시지 않았다. 40여 년 중등교단에서 봉사하고, 충북교육과학연구원장으로 퇴임식하는 날이다. 지나온 발자취를 돌아보며 지인들과 함께 감사와 축하의 시간을 가졌다.

옛날 냇가에서 벌거벗고 뒹굴며 소꿉장난하던 어린 시절 초등학교 친구들과 사랑하는 제자들, 비가 오나 눈이 오나 평생을 함께한 아내와 장인·장모님 그리고 직원들이 참석했다. 그러나 밤 늦도록 젖가슴을 내어주고 꿈 이야기를 들려주던 어머니는 그 자리에 계시지 않았다. 어머니가 그토록 바라고 원하던 자리, 가장 환하게 웃으며 반겼을 얼굴이 떠올라 눈물이 앞을 가린다.

어찌 된 일인가. 환상일까? 어느 순간 어머니가 보였다. 눈을 비비고 깜박이며 자세히 보니 허리 굽은 큰누님이 엄마 대신 앉아 울고 계신 것이 아닌가. 어찌 그리 닮았을까. 닮아도 너무 닮았다.

"나는 못 보고 가지만 너는 니 동생 잘 되는 것 보고 갈 거야"

유언처럼 말씀하셨던 울 엄니….

도수 높은 돋보기안경을 코끝에 걸친 채 호롱불 아래서 장화홍련전과 심청전을 읽으시던 어머니, 이불 위에 뒹구는 막내둥이를 보면서

"큰 인물이 되려면 죽을 고비를 세 번은 넘겨야 한다더라" 하셨다.

겨울바람에 문풍지 울던 날이다. 장독대에 숨겨둔 콩설기를 가져와 베개 맡에 두고는 "이리 와, 너의 태몽이야기를 들려줄게" 팔베개를 해 주며 꿈 이야기를 꺼내주셨다. 엄마가 산기슭에 오르는데 산의 흙이 물렁거려서 발을 디딜 수 없었다. 풀과 작은 나뭇가지를 잡으면 힘없이 뽑혀 넘어지고 미끄러져 너무 힘이 들었다. 어렵게 오른 산 정상에는 작은 초가집 안에 무, 배추가 가득 차 있었다.

'누가 이것을 산에 가져다 놓았을까?' 혼잣말을 하는데 삽을 들러멘 네 아버지가 오셔서 우리 논에 가보자고 하시더라. 내려오는 길 건너편 산에 선비 비석들이 줄지어 서 있는 모습이 보였다. 논에 가서 보니 풍년 들어 누렇게 익은 벼 이삭이 고개를 숙이고 있었다. 그 모습이 너무 선명하여 꿈에서 깨어났어도 잊을 수 없었다는 것이다.

"너는 나중에 잘 될 거야. 먹을 건 걱정 안 해도 돼. 쌍둥이로 태어났는데 너만 살았으니 두 몫을 감당해야 해"

말씀하셨다. 어머니는 산 위에서 보았던 벼 이삭과 선비 비석이 그 의미를 알려주는 것이라고 믿으셨던 것이다. 농부의 아들로 태어나 아침에는 보리밥, 저녁엔 김치를 넣은 손칼국수를 부풀려 먹던 내가 정말 큰일을 할 수 있다는 말인가? 가난한 집에 태어나 배를 움켜쥐었던 코흘리개는 어머니의 꿈 이야기가 도무지 이해되지 않았다.

어릴 적 어느 날이었다. 휴! 하고 깊은 호흡을 하고 눈을 떠 일어나 앉았는데, 꽹과리와 징소리가 요란하게 집안을 울리며 무당이 굿을 하고 있었다. 내가 살아났다고 동네 사람들이 박수를 치면서 시끌벅적 웃는 소리가 들렸다. 젖배를 곯은 탓인지 식은땀을 흘리며 잠시 의식을 잃었던 모양이다. 어려서 그렇게 자주 아팠고 교과서 외에는 다른 참고서나 책을 살 수 없을 정도로 어려운 형편이었다. 문제집 사달라고 졸라댔다가 먹고 살기도 힘든데 책 살 돈이 어디 있느냐며 고구마 줄기로 등짝을 얻어맞은 적도 있었다. 그리곤 돌아서서 두 손으로 얼굴 가리며 눈물을 훔치셨다. 너무 가난해 형님들은 상급학교 진학을 못하고 아버지를 도와 농사를 지었다.

막내만이라도 가르쳐야 한다며 어머니는 시장에서 보따리 장사를 하여 학비를 대주셨다. 함지박에 채소를 담아 머리에 이고 시장 난전을 전전했다. 점심도 굶어가며 어렵게 번 돈을 치마 속주머니에 꼬깃꼬깃 넣어두고 십 리를 걸어 집에 오시면 한밤중이었다. 그렇게 모은 돈으로 막내아들 뒷바라지를 해 주신 것이다. 어머니의 고생길에 힘이 되었던 것은 무엇일까? 오로지 태몽의 확신이었으리라. 모진 세월 비바람 맞고 가난의 설움과 배고픔을 참아내며 살아오신 어머니는 막내아들의 태몽(胎夢)을 붙드신 것이다. 어머니의 꿈이요, 희망이었던 그것이 어머니 삶이고 목표였던 것이다.

나의 나 됨은 오직 어머니의 온갖 고생의 결실이다. 나 역시 그동안 열심히 살아오며 은혜를 잊은 적이 없다. 공직생활을 마무리하는 오늘, 꽃처럼 피어드릴 영광된 그 자리에 계시지 않은 어머니가 오늘 따라 몹시도 그립다. [2021.4.24. 한국문인 신인상]

청산 연가 戀歌

군복을 벗고 사회인이 되던 그 날, 뱃고동 울리는 여객선에서 '삼백리 한려수도 그림 같구나' 노랫소리가 울려 퍼졌다. 나는 을숙도에서 군 생활을 했다. 온종일 파아란 지평선을 바라보고 있으면 고향 생각이 많이 났다. 응석받이 막내로 철없이 밥투정하던 때가 새록새록 떠오르곤 했다. 고향에 계신 어머니를 생각하며 잠 못 이루던 3년이란 세월을 이제 을숙도 바닷가에 묻어두고 드디어 제대하는 것이다.

꿈에도 그리던 고향 집을 간다. 청주에서 내수로 가는 버스를 탔다. 갑자기 하늘이 검은 구름으로 덮이더니 굵은 소낙비가 되어 내린다. 여름날 오후 장맛비는 물방울이 떨어지는 것이 아니라 대야로 물을 쏟아붓는 것처럼 퍼붓는다. 개울가는 집중 폭우로 검붉은 황토물이 넘실대며 흐른다. 이 개울을 건너야 집에 갈 수 있는데 사람들은 서로 얼굴만 쳐다보며 몸을 사리고 눈치만 보고 있다. 흙으로 지은 집은 반쯤 물에 잠기면 힘없이 무너져 물속으로 가라앉고, 서까래 걸친 지붕만 물에 떠서 흘러간다. 부러진 나무들이 떠내려온다. 돼지는 초가지붕 위에서 꿀꿀대고 닭은 꼬꼬댁 꼬꼬댁 날개짓하며 구해 달라 울어댄다. 기초가 튼튼해야 홍수에 견딜 수 있을 텐데 수재 현장을 보면서 '내 인생의 기초는 얼마나 단단할까' 생각해 보았다.

대학 졸업 후 비교적 늦은 나이에 군대에 갔다. 제대 후 발령을 기다리며 잠시 집에서 일손을 돕고 있었는데 어머니는 내 모습을 보면서 몹시 불안하고 못마땅한 표정이다. 아들이 빨리 사회에 발을 딛고 막노동이라도 해서 돈 벌어오기를 기대하는 듯했다. 무더운 여름밤이면 밤새 괴롭히는 모기들 때문에 마당 한구석에 쑥댓불을 지펴 부채로 이리저리 연기를 날린다. 멍석에 드러누워 밤하늘 별들을 세어보고, 은하수 별똥별이 떨어지는 것을 쳐다본다. 아무도 찾아주지 않는 외로운 밤, 풀벌레 소리는 나를 더욱 애처롭게 했다.

이른 아침 오동나무 가지 끝에 까치가 울어 댔다. 책상 정리를 하고 있는데 자전거를 타고 온 우체부 아저씨가 전보 한 통을 들고 내 이름을 부른다. 기다리던 발령통지였다. 청산고등학교로 출근하라는 것이다. 머슴살이하듯 어렵게 살아오신 아버지는 마디가 굵은 주름진 손을 하늘로 치켜들며 기뻐하셨고, 어머니는 앞치마로 눈물을 훔치며 부엌으로 들어가셨다. 자식이 아프면 내 몸 아픈 것처럼 더 마음 아파하고, 배고파하면 보리밥 열무김치 밥상 차려 들고 오시는 어머니 이마엔 땀방울이 송알송알 맺혀 있었다.

뿌옇게 흙먼지 날리며 덜컹거리는 청산행 시외버스를 탔다. 기대 반 설렘 반으로 조금은 두렵기도 했다. 조회단 앞 학생들과 선생님들이 서 있는 운동장에서 부임 인사를 하며 교사로서의 첫걸음에 참 스승의 길을 가리라 다짐했다. 목이 터져라 큰 소리로 열정을 다해 수업을 하고 등골에 땀이 촉촉이 젖어올 때는 가르치는 보람을 느꼈다. 개구리 해부를 하면서 심장 뛰는 모습과 오장육부의 생김새를 스케치할 때는 과학자로서의 첫발을 내딛는 기분이었다.

낙엽이 뒹굴고 차가운 바람이 불어오던 당직 날이었다. 저녁을 먹고 학교 주위를 한 바퀴 돌아보는데 미술실에 불이 켜져 있었다. 가르쳐주는 사람도 없이 한 학생이 혼자서 석고 데생을 하고 있는 모습이 보였다. 라면 한 봉지를 주며

"날씨가 썰렁해서 춥지? 늦은 시간 배고프니까 먹으면서 해"

차가운 날씨에 호호 손을 불며 독학으로 공부하는 의지가 대견스러웠다. 희뿌옇게 빛바랜 교복이 더욱 빛나 보이는 순간이었다. 그 학생은 지금 미술과 교수가 되어 조각 작품을 만들며 일선에서 또 다른 제자들을 가르치고 있다. 어쩌다 만나면

"선생님 그날 밤 라면 맛은 절대 잊을 수가 없어요.
정말 꿀맛이었거든요."

하고 고마운 마음 건네며 반가워한다. 받는 것보다 주는 기쁨이 더 크고 진한 감동이 되어 가슴을 울린다.

이곳에서 나는 인생의 반려자를 만났다. 그녀는 검은돌 동네에서 자라 오로지 나 한 사람만 바라보고 청산으로 왔다. "여보"하고 부르면 부끄러워 부엌에 숨어 나오지를 못하고, 한참 동안 기다려야 삐죽이 얼굴 내밀고 미소 짓는 순수한 여인이다. 아내와 함께 자전거를 타고 보청천 둑을 달리는 장면은 동화 속에 나오는 한 폭의 그림이었을 것이다. 비가 오면 여울 낚시로 피라미 갈겨니를 잡

아 매운탕을 끓이고 생선 국수, 도리뱅뱅이를 먹으며 행복한 밤을 지새웠다. 욕심도 거짓도 강물에 흘려버린 채 반쪽이 하나 되는 행복한 신혼의 꿈이 머물러 있던 곳이다.

청산은 사랑하는 제자들과의 만남, 집 안의 해님 같은 아내와 동행이 이루어진 곳, 평생 교육자로서 삶의 터가 시작된 곳이다. '머루랑 다래랑 먹고 청산에 살어리랏다.' 나무가 잎과 꽃을 피워 열매를 맺고 씨앗을 떨어뜨려 생명을 이어가는 그곳에 어머니의 품처럼 행복했던 추억이 주마등처럼 스쳐 간다. 내일은 아내와 함께 그리움을 찾아 청산에 한 번 다녀와야겠다.

상선약수 上善若水

그해 겨울은 몹시 추웠다. 함박눈이 쏟아지고 멀리 기차역에서 기
적 소리가 들려왔다. 싸박싸박 걷는 발걸음이 고요한 적막을 깨고
노크를 한다.

'이 밤에 누구일까?'

놀린 마음에 가슴이 철렁했다. 첫째 딸과 사귀는 남자 친구가 온
것이다. 반가운 마음과 당황스러움이 뒤섞인 야릇한 감정에 잠깐
멈칫했다. 들어오라는 말이 입에서 떨어지기도 전에 꾸벅 인사를 하
며 신발을 벗고 들어온다.

그 청년은 정보통신학을 전공하는 학교 내 방송국장이란다. 누나
들 밑에 외아들로 성실한 신앙생활을 하는 반듯한 가정에서 자랐다.
글쓰기를 잘했던 큰딸은 초등학교 때 '사진 한 장'이란 시를 써 장원
을 한 문학소녀다. 아나운서가 되려는 꿈을 갖고 학교 방송국 활동
을 해왔다. 선후배로 정이 들어, 결혼 승낙을 받으러 이 밤에 찾아온
것이다.

아내가 준비한 차를 마시는데 식탁 아래로 둘이 꼭 잡은 손이 긴장하며 가냘프게 떠는 모습이 언뜻 보였다. 우리 부부의 얼굴을 번갈아 살피며 어떤 답이 나올까? 걱정하는듯한 표정이 오히려 귀엽고 애처로운 생각까지 들었다. 두근거리는 심장 소리가 손끝에 울려오는 것 같았다. 일평생 함께 걸어가야 할 반려자를 찾았다는데 얼마나 고맙고 대견스러운 일인가.

서로 사랑하는가 물었다. 빙그레 웃음 지으며 고개만 끄떡이었다. 무엇이 그렇게 맘에 들었고 좋았느냐 거듭 질문을 던져 보았더니 그냥 좋았단다. 두 젊은이에게 결혼은 사랑과 사랑의 만남으로 이루어져야 함을 강조했다. 그럼에도 불구하고 무조건적인 사랑의 의미를 이해하고 둘의 사랑을 서로 검증해보는 시간이 필요함을 권했다. 믿음과 사랑이 하나 되는 확신이 있다면 결혼을 허락하겠다고 하였더니 두 손을 잡고 뛸 듯이 기뻐했다. 맏딸이 따뜻한 홍차를 마시며 만남을 위한 조언을 청한다.

"아빠! 평생 간직하고 살아야 할 말씀 한마디 해주세요."

"상선약수에 대해 말해 줄까? 내가 좋아하는 물의 철학이다."

물은 항상 높은 데서 낮은 곳으로 흐르고, 웅덩이를 만나면 뛰어넘지 않고 웅덩이를 가득 채운 후 그 위를 흘러간다. 유연성이 있어 바위틈, 모래, 가시밭길까지 쉽게 흘러갈 수 있다는 이야기다.

사람들은 어떤 문제가 생기면 우선 뛰어넘고, 거꾸로 가더라도 목적을 이루려는 욕심이 앞서는 때가 있다. 순리를 지킴으로써 앞으로 나아갈 수 있는 거다. 세상의 바람과 시련을 물처럼 유연하게, 순리대로, 묵묵히 지혜로운 삶을 살아가길 당부했다.

물은 흘러가다가 산과 바위를 만나면, 뚫고 가기보다는 묵묵히 돌아가는 여유가 있다. 작은 물로 흐를 때는 졸졸 소리를 내지만, 강물처럼 바닷물처럼 힘이 모아지면 소리 없이 큰일을 하며 도도히 흘러간다.

자신을 굽힐 줄 아는 겸손과 때를 기다릴 줄 아는 지혜가 그곳에 숨어 있는 거다. 인생의 강물이 흘러갈 때 세상에 발을 딛고 서있노라면 성공과 실패, 미움과 질투, 난공불락의 파도가 덮쳐 올 수도 있다. 긴 세월의 연단 끝에 맺어지는 인내와 수많은 선택의 길 앞에서 결단의 다림줄은 중요하다는 걸 이야기했다. 상선약수의 지혜다. 귀 기울여 듣고 고마워하는 아이들과 마음 터놓고 나눔의 시간을 가질 수 있어 외려 내가 고마운 마음이다.

보물처럼 서로 귀하게 여기며, 비바람 맞으면 아플까. 놓으면 깨질까. 소중히 여기는 마음을 오래 간직하기 바랐다. 반려자의 부족함을 나의 장점으로 채워주고, 실수가 있을 때는 감싸 주는 아름다운 새 가정을 이루기를 간절히 기도 하던 그 밤이었다.

아비의 바람이 잘 스며들었나 보다. 어느새 큰 딸은 불혹의 나이를 바라보는 중년이 되었고, 까치가 우는 날이면 손주들과 행복한 웃음 지으며 찾아온다. 자식을 키워보면 부모 생각이 더욱 나는 모양이다.

제 엄마 손을 잡고

"우리들 키우시느라 고생 많으셨어요." 눈시울을 붉힌다.

"손주들이 잘 자라서 감사하기만 하구나…." 아내가 맞장구를 친다.

모녀가 정을 나누는 모습에 가슴 뭉클한 감동이 너울너울 물결로 와 닿는다.

남도 밥상

와글와글 몽돌해변 자갈 틈 속에서 개구리 소리가 들려온다. 파도가 까만 조약돌을 궁굴리고 부딪치며 나는 소리다. 거칠고 모난 돌들이 서로 깎이고 닳아 동글동글 예쁜 모양을 하고 있다. 성격이 급하고 어려움을 잘 참지 못하며 화를 내는 모난 마음이 조약돌처럼 부드러운 성품으로 빚어지면 좋겠다는 생각이 든다. 제주로 가는 뱃길이 완도에서 출발하기에 많은 여행객들이 이곳을 찾는다. 선착장에는 고기잡이배들이 닻을 내리고 출항을 기다린다. 갈매기 떼들이 여객선 위로 끼륵 끼륵 맴돌며 아침먹이를 찾느라 분주하다.

제주도와 전라남도는 지리적 역사적으로 연관이 깊다. 완도는 전라남도와 제주도사이에 위치한 섬이다. 대륙이동설에 따르면 지리적 격리의 관계가 남아 있을 것으로 예상되는 곳이다. 등들쥐의 DNA 분석을 통해 그 연관관계를 찾아보고자 완도로 채집을 왔다. 야생 쥐들도 물이 흐르고 바람이 잘 불지 않는 아늑한 곳을 좋아한다. 흔히 사람들이 사는 집과 묫자리의 명당자리라고 하는 곳과 흡사한 곳에 잘 서식한다.

아침 일찌기 일어나 어제 저녁에 설치한 쥐덫을 살펴보니 귀여운 들쥐의 모습이 보였다. 채집된 실험재료를 싣고 연구실을 향해 오는 길에 배가 출출했다. 맛좋기로 소문난 전라도 음식을 먹기 위해 택시가 많이 주차되어 있는 기사식당에 들어갔다. 아침 백반 상에 15가지 정도의 반찬이 올라와 깜짝 놀랐다. 꽤나 비싼 한정식 같은 진수성찬 밥상이다. 혼자서 먹는 밥상에 다양한 산채 나물과 제육볶음, 젓갈을 넣은 김치와 부드러운 죽순무침, 바다 냄새가 나는 여러 가지 해산물들이 식욕을 돋구었다. 구수한 전라도 사투리는 마음을 즐겁게 한다.

"어이? 거시기가 거시기혀서 그냥 거시기혀…"라고 했는데도 서로 잘 알아듣는 특유의 방언이 정말 재미있다. 거시기라는 단어 속에 다양하고 걸쭉한 의미가 모두 포함된 것이다. 아침을 먹고 계산하려고 "식사 값이 얼마요?" 물었더니 7천원이란다. "정말입니까?" 되물었지만 맞다고 한다. 넉넉한 인심에 내심 놀라웠다. 맛있는 밥상 연가를 부르면서 청주로 오는 고속도로를 달렸다. 따뜻한 정이 넘치는 고장, 풍류를 즐길 줄 아는 마을, 남도창으로 한을 풀어내는 양반의 멋스러움이 마음을 넉넉하게 만들었다. 흥겨운 남도가락에 어깨춤이 절로 났다.

전라도 김치 맛은 우리나라에서 제일이다. 나는 김치 깍두기만 놓고도 밥 한 사발을 거뜬히 먹을 수 있었다. 김치는 고춧가루와 짓이긴 마늘을 넣고, 생강과 부추, 젓갈을 잘 버무리어 배추 사이마다 끼워 넣는다. 정성스럽게 배춧잎으로 싸서 항아리에 넣고, 숙성을 시키면 발효되어 기막힌 맛을 낸다. 그것에는 곰도 사람을 만들 만큼 좋은 약초가 들어있다. 한국인이 세계의 주목을 받게 되는 비밀이 김치 속에 들어있는지도 모른다.

충청도에도 청풍명월의 풍성한 밥상을 차려 놓는 곳이 있다. 조선말기 마지막 상궁이 경영하는 식당을 찾아갔다. 임금님이 드시던 수라상은 어떤 음식이 차려져 있을까? 궁금했다. 한식요리는 반찬의 수에 따라 7첩 반상 또는 12첩 반상이라 한다. 음식의 맛은 참 다양하다. 누가 만들었느냐에 따라 깊은 맛을 내는 정도가 다르다. 행복을 상징하는 참깨의 고소한 맛, 시집살이의 어려움을 나타내는 고추와 마늘의 매운맛, 구두쇠 같은 사람을 의미하는 간장의 짠맛, 그리고 처녀 총각들의 풋풋한 사랑을 느끼게 하는 발효식품들의 새콤달콤한 맛들이 혼합되어 전통의 고유한 음식 맛을 살리어 낸다.

병풍으로 둘러싸인 운치 있는 방에 수라상이 차려져 있었다. 놋그릇에 담긴 정갈한 음식들을 가만히 살펴보았다. 스무 가지가 넘는 반찬이 큰상을 꽉 채웠다. 어느 것 부터 먹어야 할지 젓가락 자리를 찾기 어렵다. 한결같이 연하고 부드럽다. 많이 씹지 않아도 먹을 수 있도록 요리가 되어 있는 거다. 궁중요리는 한식 중에 가장 화려하고 멋스러운 것 같다.

한국의 예절은 밥상머리 교육에서 시작 된다. 어른이 먼저 수저를 들어야 남은 가족들이 비로소 음식을 먹을 수 있다. 식사 중에는 소리를 내지 않고 복스럽게 먹어야 한다. 싱겁다 짜다 음식 맛의 투정을 부려서는 더욱 안 된다. 어릴 때 반찬 투정해서 혹독한 꾸지람을 들은 경험이 있다. 아침 식사를 하던 중 콩나물국을 수저로 한입 떠먹은 후 "왜 이렇게 짠 거야?"말을 내뱉는 순간 어머니의 불호령이 떨어졌다. "무쇠솥에서 나온 음식은 다 좋은 거야! 수저 놓거라."하셨다. 온종일 배에서 꼬르록 소리가 나는 고충을 겪은 배고픔이 지금도 생생하다. 그 후로부터는 밥상에서 절대 반찬 투정을 하지 않는다.

엄마 밥상은 언제 어디서 먹어도 질리지 않는다. 사랑이 담긴 반찬이 있고 정이 넘치는 국과 구수한 청국장 맛이 있기 때문이다. 가을 총각김치 한입 깨물어 먹을 때 아삭아삭 씹히는 소리가 귀에 생생하다. 생선구이 한 마리가 밥상에 올라오면 아버지는 통통한 가슴살을 한 조각 뚝 떼어 자식의 밥숟가락에 얹혀 놓고는 한눈을 찡긋 껌벅이신다. 어서 먹으라고 고개를 끄덕이셨던 사랑스런 눈길은 이순이 넘은 지금도 잊을 수가 없다.

우리네 삶에서 기본적으로 중요한 것은 의·식·주다. 그중 먹는 즐거움이 으뜸 아닐까? 산나물 한입에 봄이 한가득이고, 복숭아 참외 한입 물으면 여름날이 시원하다. 햅쌀밥에 열무김치 한 숟가락 떠서 먹으면 만고강산 걱정거리가 사라진다. 가마솥에 남겨진 누룽지로 만든 숭늉의 맛은 시원하고 고소하다. 이보다 배부름이 어디 또 있으랴. 밥상은 아내의 정성이 차려지고, 어머니의 손맛이 무쳐지며, 새콤달콤한 사랑의 국물이 녹아있어 행복함이 가득하다. 오늘따라 풍성한 나물에 고추장 참기름 넣어 쓱쓱! 비벼 먹는 남도밥상이 더욱 생각난다.

어리보기

30여 년 전 여고 수업시간에 터진 웃음바다가 떠오른다. 그날은 거짓말로 장난을 치면서 골탕 먹여도 용서가 되는 만우절이다. 그날만큼은 학생들과 서로 악의 없이 장난을 치고 하루를 즐겁게 보내며 모두 함께 바보가 되는 날이기도 하다. 목련꽃이 흐드러지게 핀 사월 은행나무 가로수 비탈길을 걸어 올라갔다. 등교하는 여고생들이 친구들과 재잘대는 웃음소리가 싱그럽게 들려온다. 출근 시간이 조금 늦은 여선생님이 바쁘게 뛰어오면서 목례를 한다.

"아침공기가 참 상쾌해요."

"선생님, 오늘 만우절입니다. 학생들에게 속지마세요."

현관 앞 신발장에서 실내화를 갈아 신는다. 인사를 건네고 교무실 복도를 걸어간다. 정신 바짝 차려야지 다짐하면서 교무실로 들어갔다.

책상 위에 있는 시간표를 보고 첫 수업이 2학년 1반임을 거듭 확인했다. 출석부와 수업지도안을 들고 이층계단을 올라가서 복도

끝에 있는 교실로 갔다. 학급 실장이 자리에서 일어나서 "차렷 경례!" 구호에 반 학생들이 "안녕하세요!" 인사를 한다. 그러고는 합창을 하듯

"선생님, 1교시 수업은 생물 아니고 영어예요!"

한다. 학생들 책상 위에는 모두가 영어책과 노트를 꺼내 놓고 있었다. 2반 교실이 생물 수업이라면서 옮겨가라 성화를 댄다. 마음속으로 '이제 시작이구나' 하면서

"알았어, 모두 생물책 꺼내요!

내가 오늘 수업시간표 정확히 확인하고 왔거든."

했다. 웃으며 혼잣말로 '하마터면 속을 뻔했네!' 되뇌면서 1교시 수업을 했다. 안도의 한숨을 쉬면서 교무실로 왔더니 1반과 2반 실장이 바로 뒤따라 들어와서는 "선생님, 죄송해요 저희들 두 반이 서로 학생들만 교실을 바꾸었어요" 한다. 허허 너털웃음이 절로 나왔다. 교실 팻말은 그대로 둔 채 학생들만 바꾼 것을 모르고 고지식한 마음으로 수업을 했다니 결국 바보처럼 속은 셈이다.

3교시 2반 교실에 들어섰더니 학생들이 박장대소를 한다. 빙그레 함께 웃으며 고개를 끄덕여 주었더니 융통성 없는 선생님을 속였다는 쾌감에 몹시 즐거워했다. "선생님 질문 있어요!" 한 학생이 손을 번쩍 들었다. 무엇인가 말하라고 했더니

"파충류인데 육상에 살면서 글자가 두 자인 것이 무엇인가요?"

뱀, 거북, 도마뱀, 자라가 떠 올랐다.

"음 자라 아닌가?"

"자라 정말 맞아요?"

"그래, 파충류이면서 육상에서 사는 것이면 자라 밖에 없지."

"칠판에 한 번 써 보세요."

한다. 생물 선생이 모를리 없건마는 이런 질문을 하다니, 돌아서서 칠판에 분필로 쓰려는 순간 웃음이 나왔다. 아차! 속은 것이다. 칠판에 '자라'를 쓰고 뒤돌아서 학생들을 바라보니 모두가 책상에 엎드려 자는 모습을 취하고 있다. 속아도 언짢지 않고 기분이 좋은 까닭은 무엇일까. 그저 순수한 소녀들이 귀엽기만 했다.

수업을 마치고 교무실로 돌아와서 커피 한잔을 마셨다. 키가 작은 여학생이 헐레벌떡 달려오며

"선생님, 저 찾으셨어요?"

"아니! 부른 적 없는데?"

하고 창밖 복도 쪽을 보니 친구들이 삼삼오오 모여 킥킥거리는 모습이 보이는 것이다. "아휴! 속았네" 머리를 긁적이고 얼굴을 붉히며 뛰쳐나가는 뒷모습이 우스꽝스러웠다. 거짓말에 속으면서도 웃고 넘어가는 유쾌함이 넉넉하다.

유럽에서는 당시 3월 25일부터 시작하여 일주일간 축제를 열며 즐겼고, 가족 친구 친지들에게 선물을 교환했다. 4월 1일을 새해 시작하는 날로 생각하고 있었다. 그러나 프랑스왕 샤를 9세에 의해 1월 1일로 바뀌었다. 4월 1일을 새해라고 고집하는 사람들을 풍자하며 놀리기 시작했고, 그렇게 생각하는 사람들을 초대해 헛걸음을 하게하며 가짜선물을 보내는 것이다.

만우절은 날마다 진실의 강박에서 살아야만 했던 우리에게 하루쯤 서로 속고 속이면서 바보처럼 살아보는 어리보기가 되는 날이다. 진실이 거짓처럼 느껴지기도 하는 날이다. BBC방송은 "스위스에서 나무에 스파게티가 열려 수확했다."는 보도를 하여 많은 사

람들을 속였고, "네덜란드에서는 피사의 사탑이 무너졌다."하여 사람들이 울며 슬퍼했다고도 한다. 코로나 바이러스로 우리 모두가 힘들고 우울하여 답답해하며 생활한다. 올해 만우절에는 한바탕 웃으며 스트레스를 날리는 바보들이 되는 시간이 되어도 좋을 듯하다. 오늘뿐 아니라 늘 조금씩 바보처럼 살아가면 더 행복한 웃음을 찾을 수 있으리라.

생일선물

　스물여덟 살 되던 해, 청산고등학교에 근무하게 되었다. 면 단위 마을 하숙집에는 오십 대 연구주임과 총각 선생님들이 한솥밥을 먹으며 함께 생활하고 있었다. 학교 일과를 마치고 마루에 걸터앉아 지난날 군대 이야기로 구수한 입담이 이어졌다.

　사격장에서 좌로 굴러 우로 굴러, 콩고물에 인절미를 묻히듯 황토 바닥에서 뒹굴었다. 땀에 흠뻑 젖은 몸으로 어깨동무를 한 채 어머님의 은혜 노래를 부르면 눈물과 땀이 범벅이 되었다. 비가 쏟아지는 날 낮은 포복, 높은 포복을 할 때는 철조망에 걸려 옷이 찢어지고, 팔꿈치와 무릎은 핏물이 내비치도록 까졌다. 진흙탕 물속에 빠진 생쥐처럼 덜덜 떨었던 각개 전투훈련도 서러운 기억이다. 너무나도 힘들고 어려움을 겪었기에 밤을 새워도 이야기꽃은 끝이 없었다.

　플라타너스 나뭇잎이 우거진 학교 운동장은 매미 소리가 뜨거운 여름을 노래한다. 저 멀리 강둑을 아래로 깔고 뭉게구름은 여유롭

게 흘러가고 있다. "엄마야 누나야 강변 살자" 노래하며 행복했던
어린 시절이 생각난다.

그해 늦가을 하숙집으로 소포가 왔다. 내 생애 최초로 받은 생일
선물이 그녀와 나의 끈으로 이어져 인연이 되었다.

충청남도와 충청북도, 전라북도 3개도 대학생들의 연합수련회
가 3박 4일 동안 청산에서 열렸다. 작은 키에 까치발을 세우고 학
교 담 너머를 이리저리 살피는 여학생이 보였다. 강변 백사장 캠프
파이어 하는 장소를 찾는 것이다. 보청천 강가를 안내해 주며 가는
동안 자기소개를 하고 인사를 나누었다.

그 여학생은 수련회를 마친 후 아무것도 가지지 않고, 둘씩 짝을
지어 떠나는 '거지 전도 여행'을 떠났다. 여행 기간에 일어난 어려
움들과 기뻤던 이야기를 깨알 같은 글씨로 엽서 한 장에 빼곡히 적
어 보내왔다. 정성스럽게 글로 그림을 그리듯 자세하게 쓴 글 내용
은 총각 선생의 가슴을 찡하게 두드렸다. 처음 답장을 쓰는데 가슴
이 벌렁벌렁 두근두근 뛰었다. 손가락까지 떨렸다. 이른 아침, 편
지 봉투에 우표를 붙인 후 우체통에 넣었다. 왠지 흥분을 감출 수
가 없었다. 주먹으로 조용히 턱을 받치고는 빙그레 웃음 지었다.

남자들은 나이와 선후배를 잘 따지는 근성이 있다. 오뉴월 하룻
볕이 어디냐면서 주민등록증을 까보자는 우수꽝스러운 행태를 자
행하곤 한다. 그날도 하숙집 남자들은 서열 싸움을 하고 있는 중이
었다.

대문 밖에서 큰 가방을 둘러맨 우체부 아저씨가 "소포요!" 하며
마루 끝에 올려놓고 나간다. 누구일까? 하고 수취인 이름을 보니
내 이름이 쓰여 있었다. 보내는 사람의 주소는 블랙스톤(Black stone

Town)이다. '외국에서 누가 보냈을까?' 의아해하며 방으로 가져가 자세히 살펴보았다. 흑석동(黑石洞)을 영어 표기식으로 쓴 것이다.

포장지를 뜯어 뚜껑을 여는 순간, 뚜다닥 소리를 내면서 무엇인가 튀어나와 방 안을 이리저리 휘돌아 움직이는 바람에 깜짝 놀랐다. 가슴이 철렁 내려앉고 휴! 한숨까지 나왔다. 잠시 후 방바닥에 내려앉은 것은 용수철을 이용하여 만든 개구리였다. 상자를 열면 폴짝 뛰게 만든 서프라이즈 선물이었던 거다. 더불어 와이셔츠와 초콜릿 스물여덟 개를 예쁜 은박지로 싸서 보냈다. 그동안 생일이라고 해야 미역국과 쌀밥을 먹는 것이 전부였는데, 사랑스런 선물과 정성스럽게 쓴 편지를 받아보기는 태어나서 처음이다. 선물 꾸러미 속에는 예쁜 마음이 듬뿍 담겨 있었다. 엽서에 쓰여진 글을 읽을 땐 잠결에 꿈을 꾸는 것처럼 감미로운 사랑의 연정에 빠져들게 했다. 나의 향기와 빛깔에 맞는 이름을 불러주었을 때 나도 달려가 그 사람의 사랑이 되고 싶어진 것이다.

"한잔 술에 취하면 하루가 행복하지만 사랑하는 사람에 취하면 백 년이 행복 하다."고 했다. 남몰래 간직하고픈 그리움이 애틋해졌다. 주말이 오면 어머니 품속에서 젖을 먹던 고향의 향수가 발걸음을 재촉하듯 보고 싶은 마음이 청산길을 나서게 한다. 청주에서 선후배 모임을 가질 때마다 그녀를 만나 많은 이야기를 나누었다. 시골에는 목욕탕이 없던 터라 만날 땐 본의 아니게 목욕 재개 후 그녀를 만나게 된 셈이다. 케첩과 계란프라이에 밥을 비벼 먹는 그녀가 고추장과 김치, 나물로 비빔밥을 먹는 시골 총각에게는 색다르게 느껴졌다. 곱게 자란 탓인지 김치 깍두기 조차도 담가본 적이 없단다. 그러나 상냥한 서울 말씨가 어눌한 충청도 총각 선생에게는 무척이나 따뜻하고 애교스러웠다.

　늦가을 내 생애 아름다운 선물을 받은 그 날, 작은 조약돌 하나가 내 마음에 잔잔한 물 파랑을 일으켰고, 사랑의 꽃을 피워 우린 결혼했다. 세월이 흘러 아내는 딸 셋과 늦둥이 아들을 낳았고, 지금은 손주를 네 명이나 둔 할머니가 됐다.

　아침부터 주룩주룩 내리던 비가 오후에는 맑게 개었다. 파아란 하늘에는 흰구름 조각들이 한가로이 흘러가고, 꿀벌과 벌새는 호박꽃 속의 꿀을 빨아먹느라 여념이 없다. 누군가 데크 계단 위를 힘차게 걸어 올라오는 소리가 났다.

　"필그림하우스 맞죠? 택배 왔어요."

　택배 아저씨가 소포를 현관 앞에 던져놓고 간다. 문득 선물을 들고 가슴을 움켜잡으며 두근두근 설레는 마음을 진정시키느라 방안을 맴돌던 어느날이 생각난다. 하숙집에서 생일 소포를 받던 두근거림이 다시 인다. 그리움이 피어나는 젊은 날의 수채화다.

벚꽃 나들이

간밤에 봄비가 새색시 걸어오듯 사뿐히 내렸다. 개나리꽃이 무심천 제방 둑길을 노랗게 물들였다. 벚나무에 맺혀 있던 꽃망울도 울음을 터뜨리며 활짝 피었다. 따스한 햇볕에 봄바람이 살랑거리면 벚꽃은 백옥 같은 살결을 내 보인 채 화사한 춤을 추고 있다. 노오란 꽃밥 입술에 벌들이 꿀 사냥에 여념이 없다. 환한 햇살이 비쳐온다. 가족 나들이로 손에 손잡고 함박웃음 지으며 인산인해 물결 이룬다. 코로나 19로 답답한 시간을 보냈던 아이들과 젊은이들은 사진을 찍으며, 마음 설레는 만남들로 좋아 어쩔 줄 모른다.

무심천에 봄이 왔다. 춥고 외롭던 겨울이 지나가고, 귓가를 스쳐가는 따스한 바람이 싱그럽다. 벚꽃을 가까이에서 보니 부풀어 오른 팝콘처럼 몽실몽실 피어 있다. 파아란 하늘을 배경으로 흐드러지게 핀 벚꽃의 아름다운 자태에 취해 마음은 그리움을 향해 간다. 꽃잎 입에 물고 엷은 미소 짓는 봄 처녀처럼 행복감에 젖는다. 벚꽃의 화려함 속에는 황홀한 사랑이 있다.

무심천 벚꽃을 보며 걷는 내내 와! 수십 번 감탄사를 반복했는데 핸드폰에는 벚꽃 사진으로 가득 차 있었다. 친구들에게 카톡으로 사진을 올렸더니 "현장의 생생한 소리와 얼굴을 줌으로 주세요" 한다. 빨강색과 파랑색의 조명을 받은 벚꽃들이 분홍색 파란색으로 반사될 때마다 또다른 빛으로 다가온다. 손을 뻗으면 닿을 것 같은 벚꽃의 아름다움에 한 아름 따다 집에 두고 싶은 마음이었지만 눈으로 보는 것 만으로도 충분했다.

무심천변 서문대교를 걷다 보니 70년대 학창 시절이 생각났다. 그 시절에는 청주공설운동장에서 학교별 자랑인 마스게임 경연을 펼치곤 했다. 학교마다 교가를 부르고 함성도 지르며 시가행진을 한다. 밴드부의 행진곡에 발을 맞추며 찰찰이를 흔들고 걸어가노라면 여학생들도 도로에 나와 함께 걸어갔다. 눈만 마주쳐도 가슴이 쿵쾅거리던 사춘기 남학생들은 서로 가까이 가려고 난리 법석을 떨기도 했다. 운동장에서 연습을 할 때는 가로세로 대각선 줄까지 어긋남 없이 정렬하여 멋진 파라다이스를 연상케 한다. 여학생들이 팔을 굽혀 엎드렸을 때 솟아오른 엉덩이까지 높낮이가 맞으면 절로 박수 소리가 운동장을 가득 메웠다.

흰 카라가 있는 검은색 교복과 치마를 입은 여학생이 걸어가면 짓궂은 남학생들은 뒤따라가며 말을 걸고 살며시 쪽지를 건네고는 부끄러워 고개를 숙인 채 줄행랑을 쳤다. 남녀가 손만 잡아도 결혼하는 줄 아는 순박하기만 했던 때이기도 하다. 남녀 학생들은 손편지를 써서 주고받으며 연애 감정을 몰래 키웠다. 그렇게 우리는 숨어서 데이트를 해야만 했다. 이곳 무심천의 벤치는 그들의 만남 장소요, 사랑이 기다리는 곳이고, 청춘들이 밀어를 속삭이던 자리였다. 작금에 와서는 벚꽃이 만발하여 무심천 벚꽃축제가 이루어 지고 있다. 요즈음 젊은이들은 남의 눈을 의식하지 않고 손을 잡고 입을 맞추며 과감한 애정표현을 한다. 우리가 젊은 날에 비하면 격세지감을 느끼지 않을 수 없다.

연인들의 발걸음이 순환도로의 벚나무 꽃들로도 향한다. 상당공원이 청주의 중심에 자리 잡고 있으며 야생화가 화단에 단장되어 피어 있다. 이곳은 그 옛날 '청주호텔'이 자리를 하고 있었다. 대통령이 청주를 방문하는 겨울날이었다. 함박눈이 하늘에서 쏟아지고 있는데, 공설운동장에서 도청까지 국화꽃이 피워져 있었다. 경찰 호위 오토바이들이 요란하게 소리를 내며 앞장서서 달리고, 검은 경호차들이 앞서거니 뒷서거니 하며 서문대교를 지나올 때였다. 세단차 안에서 "시내 한 복판에 웬 호텔이 있어." 하고 보좌관에게 한마디를 하셨단다. 그 후로 호텔은 다른 곳으로 옮겨갔고 그 자리에는 상당공원이 만들어져 시민의 휴식처로 이용하고 있다. 잊지 못할 추억들이 거리마다 쌓여 있어 오늘도 즐겁기만 하다.

벚꽃은 짧은 기간 동안에 폭죽 터지듯 피었다가 하룻밤 사이에 진다. 보슬비를 맞으면 꽃비가 되어 땅에 뒹군다. 화사하게 피었다가 떨어지는 꽃처럼 우리 인생도 이 세상에 잠시 왔다 가는 삶이 아니던가. 연두색 잎이 나뭇가지 끝에 매달리어 인사를 한다. 청춘의 마음에 살랑살랑 기쁨을 주는 무심천의 봄을 사랑한다. 마스크 없이 자유롭게 벚꽃길을 걸을 수 있는 그날이 오길 간절히 기도하며 기다린다.

당신 멎져

　나는 바둑을 좋아한다. 가로 세로 19줄로 만들어진 판 361곳에 흰 돌과 검은 돌이 싸워서 많은 집을 만들면 이기는 것이다. 상대방이 집을 못 짓게 하고 나의 집을 늘리려면 당연히 싸움이 벌어진다. 빼앗고 빼앗기는 전투에서 행마가 처절히 죽기도 하고 살아서 승전가를 부르며 게임의 쾌감을 느끼기도 한다.

　삶의 철학과 전쟁의 모략이 네모난 세계 속에 다 들어있다. 천만 번을 두어도 똑같은 상황이 벌어지지 않아서 더욱 재미가 있다. 바둑돌을 놓으며 생각을 결정할 때 다양한 방면의 사색이 필요함을 알게 된다. 바둑에서 사석을 버리고 더 큰 것을 도모하면 전화위복(轉禍爲福)이 된다. 끝까지 미련을 버리지 못하고 살리고자 행마를 이끌다가 바둑판 전체를 망치는 수가 있다.

　바둑을 두다 어릴 적에 있었던 일이 생각나 웃는다. 어둑어둑 땅거미 지는 느티나무 아래로 동네 친구들이 모여든다. 가위 바위 보로 편을 가르고, 각각 나무 아래 진을 친다. 한 사람씩 뜀박질하며 달려 나갈 때 상대 팀보다 빨리 뛰어 손을 대면, 이기는 술래 게임이다. 숨을 헐떡이며 달리다가 넘어져 무릎에 상처가 나 울기도 한다. 끝내 이겼다고 우승한 팀은 좋아라 춤추기도 한다.

그날도 깜깜한 밤이 되어서야 집으로 가는데 동네 형이 어깨를 툭 치며 시비를 걸었다.

"야 임마! 왜 나만 터치해서 죽게 만드냐?"

"원래 그렇게 하는 게임인데?"

하고 말하는 순간 주먹이 날라 오고, 얼굴을 맞아 코피가 흐르며 땅바닥에 주저앉아 울었다. 너무 억울했다. 내가 무얼 잘못했단 말인가. 형이면 다인가? 터벅터벅 집에 왔으나 분을 참지 못해 씩씩거렸다.

아버지께서는 등을 두드려주며 말씀하신다.

"지는 게 이기는 거야!"

"얻어맞고 코피 났는데 뭐가 이기는 거야!"

이렇게 소리치고는 방문을 쾅 닫고 이불을 뒤집어쓴 채 엉엉 울었다. 지는 것이 어떻게 이긴다는 걸까? 나로선 이해할 수가 없었다. 하지만 아버지께서는 때리고 오금 졸이며 사는 것보다 얻어맞고 두 다리 쪽 뻗고 자는 것이 더 평안한 것이라고 말씀하셨다.

사탕 하나를 들고 있는 어린 아기에게 "아가 그 사탕 나 줄래? 더 좋은 인형 줄게." 그러면 아기는 반사적으로 사탕 든 손을 꼭 쥔다. 억지로 손을 펴서 인형을 주려고 하면 앙! 하고 울면서 손을 더욱 꼬옥 쥐고 펴지 않는다. 잡은 손을 펴서 비우면 더 멋지고 좋은 선물을 받을 수 있을 텐데…. 소탐대실(小貪大失)이다. 바둑도 마찬가지지만, 한평생 살면서 버릴 것을 버리지 못해 인생 전체를 망가 뜨리는 사람들을 가끔 본다. 작은 것을 버리지 못해 욕심 부리고 살다가 큰 것까지 망치고 피눈물 흘리며 땅을 치는 사람이 얼마나 많은가.

인간관계에 있어서도 져 주는 사람이 이기는 경우를 종종 볼 수 있다. 싸움에서 지는 것은 지는 것이요, 약자인 것이 분명하다. 그러나 져 주는 건 강자만이 할 수 있는 일이다. 아버지는 아들이 진정한 강자가 되길 바라셨던 것이었다. 이 나이가 되어서야 아버지 말씀을 가슴으로 품는다.

축하의 자리에서 와인 한잔 씩 들고 건배사를 하라면 나는 서슴없이 "당신 멋져!"라고 말한다. 이 말은 '당당하고 신나게, 멋지게 져 주며 베푸는 인생을 살자'는 의미다. 당당하고 신나게 첫 글자를 모아서 "당신!"하고 선창하면 좌중은 멋지게 져 주자며 "멋져!" 외치며 잔을 부딪친다. 그리고 기분 좋게 원샷을 하고 박수를 친다.

지는 게 이기는 거라 말씀하셨던 아버지는 오래전부터 멋지게 져 주는 이 진리를 알고 계셨던 거다. 사탕을 쥔 아기처럼 우선 손에 쥔 작은 것만 움키다 더 큰 것을 놓치지는 않았는지 나 자신을 돌아본다. '그래 져 주는 거다.' 그렇게 진정한 강자로 진정한 승리자로 살아가는 거다.

맏딸

학생들과 설악산으로 수학여행을 떠나는 아침이다. 아내가 이슬이 보인다며 아기가 나올 것 같단다. 이를 어찌해야 할지 모르겠다. 두 사람만 살고 있는 신혼집에 도움의 손길이 필요해 발을 동동 구르고 있을 때였다.

"축하해요. 걱정하지 말고 수학여행 잘 다녀오세요.

제가 책임지고 산모를 잘 돌봐 드리겠습니다."

아래층에 사시는 교회 사모님이 함박꽃 같은 웃음을 지으며 말씀하셨다. 어찌할바 몰라 걱정되는 마음을 잠시 진정시킬 수 있었다. "고맙습니다. 감사합니다." 고개 숙여 인사를 하고, 내키지 않는 설악산 여행 버스를 탔다.

버스 안은 여고생들 웃음소리와 시끌벅적 떠드는 소리가 요란하다. 운전기사가 틀어준 노래에 장단을 맞춰 박수치며, 노래를 부른다. 뜬눈으로 밤을 새운 탓인지 피곤하여 잠시 잠이 들었다. 귓가에 킥킥거리는 웃음소리가 들렸다. "와!" 하고 손뼉을 치는 소리에 잠을 깨어 주위를 살펴보았다. 내 얼굴을 본 여고생들이 배꼽을 잡고 발을 동동 구르며 야단법석이다. 거울을 보았다. 루즈로 연지곤지를 찍어 광대 얼굴로 만들어 놓은 것이다. 짓궂은 장난꾸러기들은 버스가 터널을 지날 때면 물을 뿌리고 등을 꼬집고는 도망을 간다.

내 마음은 집에 두고 온 아내가 분만을 잘했는지 걱정으로 꽉 차 있었다. '아들일까 딸일까?' 궁금도 했다. 숙소에 도착하자마자 병원으로 전화를 걸었다. 입원실에는 사모님이 기다렸다는 듯이

"순산 했어요"

"선생님 축하합니다. 핑크색 옷을 사 오셔야겠네요."

한다. 경쾌하게 웃는 웃음소리가 들려왔다. 오래도록 기도하면서 기다렸던 우리 집 선물이다.

설악산은 봄꽃 수채화로 물들었다. 연둣빛 잎 사이로 파란 하늘이 춤추며 얼굴을 내민다. 신선바위에서 떨어지는 폭포수를 바라보는데 물보라에 무지개가 비친다. 바닥에 떨어지는 물소리에 아기의 울음소리가 들리는 듯했다. 입가엔 잔잔한 미소가 번졌다. 금강산은 사계절의 변화에 따라 부르는 이름이 있다. 꽃봉오리가 피는 봄에는 봉래산, 신록의 계절 여름엔 금강산이라 부르며, 만산에 단풍이 드는 가을엔 풍악산, 하얀 눈이 쌓이는 겨울에는 개골산이라 한다. 산도 시절풍경에 걸맞게 부르는 이름이 있다. 첫딸은 살림 밑천이라고 했다. 아기는 어떻게 생겼을까? 흔들바위를 향해 걸으며 내 인생의 첫 열매 이름을 어떻게 지어야 할까 생각했다.

여행을 마치고 돌아오는 길에 병원을 찾았다. 고사리같이 작은 손이 꼼지락 꼼지락 움직인다. 입은 오물조물 거리며, 젖을 달라는 모습이 귀엽기만 했다. 사무엘 같은 아들을 잉태하는 여인이 되라

는 뜻으로 이름을 '한나'라고 지었다. 엄마의 지극한 사랑을 독차지
하며 무럭무럭 잘도 자랐다.

여름날 아침 출근을 할 때다. 다섯 살 된 한나가 현관 앞까지 아
장아장 걸어 나왔다. 90도로 허리 굽혀 정성스럽게 인사를 한다.
귀엽고 예뻐서 물끄러미 바라보다가

'뭐?'

"삐삐로 사오세요"

서슴없이 말한다. 퇴근 시간이 되면 슈퍼에 가서 맏딸이 그렇게
원하던 삐삐로를 사서 들고 갔다. 손뼉을 짝짝 치며 두 손으로 받
고는, 엄마에게 자랑을 한다. 동그란 눈과 볼에 보조개가 살짝 생
겨서 웃을 땐 꽃보다 아름다웠다. 영어 단어를 가르쳐 주면 제법
잘 외워서 말했다. 마을 아주머니들이 보고는 놀라워했다. 이것이
행복이고 기쁨이 아니던가. 온 우주를 다 준다 해도 족히 비교할
수 없을 것만 같았다.

봄, 여름, 가을, 겨울 세월은 겹겹이 흘렀다. 큰딸이 어느덧 대학
을 졸업하고 취업의 문턱에서 어려움을 겪었던 적이 있었다. 일반
대기업 시험에 실패를 하고는

"아빠, 왜? 나는 일이 쉽게 풀리는 법이 없는 거야."

하고 펑펑 우는 거다. 답답한 가슴은 애간장이 탄다. 안타까운 마
음이 그지없었다. 괜스레 이름을 한나라 지었나보다. 모든 일들이
기도해야만 잘 풀리니 말이다. 맏딸의 길이 열리기만 한다면 발가
벗고 운동장을 뛰라고 해도 부끄러워하지 않고 뛸 수 있을 것만 같
다. 그것이 간절한 아비의 심정이었다.

맏딸이 시집가기 전날의 추억이 떠오른다. 온 가족이 모여앉아

지나온 이야기꽃을 피우며 울고 웃었다. 예식장에서 서로 눈을 마주치면 울먹이게 되고, 눈물바다가 될지도 모른다. '내일은 절대로 울지 말자' 약속했다. 기쁜 날 울음바다가 되면 얼마나 민망할거냐? 새끼손가락 걸며 마음을 모았다. 흰 드레스를 입은 천사의 시선은 발끝만 향했다.

어둠이 짙어가는 저녁 전화벨이 울린다.

"오늘 밤 지나면 아빠 생신인데 내일 갈께요. 사랑해요."

자식을 낳고 키우면서 더 애틋하게 아빠의 건강을 챙긴다. 속삭이는 목소리에 가슴이 훈훈해짐은 딸을 기다리는 그리움일지도 모른다. 지나온 삶의 흔적들을 빛바랜 앨범 속에서 하나씩 꺼내 본다.

이제는 맏딸이 불혹의 나이가 되었다. 심근경색으로 스탠드시술을 받고, 제2의 인생길을 걷는 나를 보고는 큰 눈망울을 껌벅인다. "아빠, 아프지 마!" 손을 꼬옥 잡는다. 맏딸의 깊은 마음이 가슴 한켠에 밀물처럼 들어온다.

다림줄

무엇이 악하고 무엇이 선한 것일까. 선과 악을 판단하는 기준은 어디에 두어야 하는가. 그리고 참과 거짓은 어떻게 증명할 수 있는 가. 낮과 밤은 햇빛의 유무에 따라 구분하고, 좋고 나쁨은 도덕의 기준에 따라 명암이 달라진다. 우리가 느끼는 행복과 불행은 많거 나 적게 갖는 소유나 외부환경 조건보다는 자신이 만족하는 기준 설정에 좌우되는 것 아닐까? 똑같은 상황을 보면서 다르게 판단하 는 경우를 종종 본다.

한옥이나 대웅전 같은 목조건물을 지을 때 기둥은 수직으로 세 워야 한다. 목수는 수평이나 수직을 바로잡기 위해 납이나 돌로 된 원뿔 모양의 추를 매달은 다림줄을 사용한다. 벽이 휘어지거나 기 울어진 것을 위에서 내려뜨려 확인할 수 있는 도구다. 어떤 사건이 나 사실의 진실을 밝히는데 옳고 그름을 판단하는 기준이 매우 중 요하다. 쓸모가 있는지 없는지는 이 기준에 의해 버리거나 사용하 게 되기 때문이다.

솔로몬왕은 지혜로운 재판관이었다. 한 아이를 놓고 두 여인이 서로 자기 아이라 주장하며 왕 앞에 나아와 판결해 줄 것을 요구했다. 아이의 특징과 성장 과정을 아는 정도가 모두 똑 같아서 친엄마를 가려내기에 상당히 어려운 상황이었다. 왕은 큰 칼을 들고 나왔다. 아이의 양팔을 두 여인이 각각 잡게 한 후 큰 칼을 들어 반을 잘라 똑같이 나누어 주라고 했다. 그러자 한 여인이 무릎을 꿇고 "이 아이는 내 아이가 아닙니다. 저 여인에게 돌려주십시오." 했다. 그러자 왕은 끝까지 나누어 갖겠다는 여인의 손에서 아이를 빼앗아 울고 있는 여인에게 돌려주었다. 지혜로운 왕의 다림줄은 진정한 모성애가 누구에게 있는가를 찾는 것이었다.

오늘날은 어떤 사실을 과학적으로 실험하고 검증한 결과가 준거가 된다. 보고, 듣고, 냄새를 맡으며 느끼는 오감으로 관찰한 후 세운 가설을 실험으로 증명하고, 정리된 결과는 진리처럼 우리사회에 통용되고 있다. 이때 가장 많이 사용되는 방법 중 하나가 삼단논법이다. 하나의 현상을 부정적인 면으로 보면 부정적인 결론을 맺게 되고, 긍정적인 면들을 보고 삼단 논법으로 입증할 경우 정반대의 결론에 도달한다. 이렇게 되면 참과 거짓의 한계가 불분명하여 많은 혼란을 야기시키고 안정된 상태를 유지할 수가 없다. 손바닥 안과 겉을 모두 보아야 온전한 손 모양을 그릴 수 있는 것 아닐까? 입체적인 사고와 통찰력을 가진 생각이 진실을 밝혀낼 수 있으리라. 지구의 한쪽에 낮이 오면 반대쪽은 어둠이 오듯이 가진 자가 있으면 잃은 자가 있는 법이다. 튀어나온 것이 있을 땐 들어간 부분이 있어야 평형상태가 이루어진다. 기준이 흔들리지 않고 분명한 다림줄로 세상을 바라볼 수 있는 눈을 뜨고 싶다.

죽음의 길을 걸어갈 때는 홀로 알몸으로 서야 한다. 사랑하던 아내가 대신 갈 수 없고, 생명처럼 여겼던 자식이 대신 걸어갈 수 없다. 죽음 앞에선 이 땅의 것은 아무것도 가져갈 수 없다. 내가 살던 전원주택에는 누군가 다른 사람이 이사 와서 살 것이고, 승용차는 새로운 주인이 타고 다닐 거다. 평생 아끼고 모아서 산 땅은 또 다른 농부가 씨 뿌리며 농작물을 가꾸고, 주인이 되어 소유하게 될 것이다. 나를 그토록 슬프게 한 것은 무엇이고, 노엽게 했던 것은 어떤 것들인가. 정말 사랑하고 미워해야만 한 것은 또 어디에 있는가 되돌아본다.

에덴의 낙원에서 아담이 흙으로 지음을 받았을 때 즐거움과 행복함이 넘쳤다. 그의 갈비뼈로 하와를 만들어 배필로 주었을 때 심히 좋았더라 했다. 다만 동산 안에 있는 선악과는 금단의 열매였다. 아담은 뱀의 속임수에 넘어가 그 열매를 따 먹음으로 선과 악을 구별할 수 있었지만, 에덴동산을 쫓겨났고, 평생토록 땀을 흘리며 살아야 했다. 이 계명을 지키며 사는 것이 낙원에 사는 삶의 다림줄이었다. 인류가 죽음의 길에 서야하는 죄의 슬픈 역사를 만든 것이다. 우리가 살아가는 동안 끊임없이 선택의 기로에 선다. 참과 거짓이 분명하고, 풍성한 삶을 누리는 척도에 나는 어떤 다림줄을 붙잡고 있는가.

우주에서 가장 중요한 존재는 바로 나 자신이다. 내가 존재할 때 비로소 너라는 존재를 인식할 수 있으며, 산과 강가에 자라는 나무와 들풀, 밤하늘 은하계의 수많은 별들도 있는 거다. 우주 속에 내가 있고 내 속에 또 우주가 있다. 다림줄의 중심에 내가 서 있는 것이다. 다양한 사람들을 만나고 여러 가지 일들을 겪는 나는, 비바람이 불고 눈이 와도 늘 푸른 소나무 같은 성품을 갖고 싶고, 늦가을 익어간 과일처럼 황금빛깔로 인격을 영글게 하고 싶다.

터닝포인트

    꿈은 생각을 그리게 한다. 생각하는 힘은 행동을 바꾸고, 행동은 습관을 변화시킨다. 습관은 그 사람의 성품을 만들고 운명을 결정 짓게 된다. 어머니가 싸 주신 도시락 가방을 들고, 기차역으로 가려면 새벽안개가 자욱한 산길 십리를 걸어가야 했다. 솜사탕 같은 안개 속으로 숲과 나무들이 숨어들며 시냇물 흐르는 냇가도 가리운다. 오로지 나 혼자 상상의 나래를 펼치며 무아지경에 빠진다. 청소년 시절, 문학과 예술에 관심이 많았던 나는, 시와 소설을 즐겨 읽었고 작가의 꿈을 꾸기도 했다. 그러나 평생 생물과학을 공부하며 학생들을 가르치는 숙명의 길을 걸었다. 인문학에서 자연과학의 길을 선택하게 된 그날이 문득 생각난다.

    기차 통학하는 학생들에게는 등하교 시간이 매일 서너 시간씩 걸리기 때문에 공부할 시간은 늘 부족했다. 통학 열차가 역 앞으로 뿌우웅 기적소리 울리며 달려오면, 서로 먼저 자리를 차지하려고 아귀다툼을 하며 승차를 한다. 어쩌다 기차가 연착을 하게 될 때는 옆구리에 가방을 끌어안고 뛰어 가야만 했다. 교문에서 학생들의 복장과 인사를 지도하시던 학생주임 선생님이 혹여라도 늦으면, 체크를 하여 벌을 주기 때문이다. 헐떡거리며 교실 안으로 뛰어 들어가 수업시간 공부해야 할 책과 종합장을 꺼내 놓았다. 휴! 한숨을 쉬고 앉자마자 수업 시작종이 울렸고, 1교시 생물 선생님이 들어오셨다. 생명의 특성에 대한 내용을 설명하시며 칠판에 가득 판서를 하셨다.

옆 친구와 이야기 하며 킥킥 거리는 웃음소리를 듣고, 선생님이 내 앞에 오셨다.

"모두 필기했어? 생물노트 꺼내봐!"

종합장에 필기를 하던 나는 급히 가방을 뒤적이며 찾아보았다. 노트를 찾지 못하여 눈이 휘둥그레졌고, 얼굴은 홍당무가 되었다. 순간 귀밑머리를 잡아 뜯기며 꿀밤 세례가 정신없이 날라 왔다. 그러고는

"내일 아침까지 노트 정리를 해서 교무실로 갖고 와"

하셨다. 분명히 시간표를 보고 준비물을 가방에 넣었는데 왜 없는 걸까? 수업시간이 끝난 후 화가 나서 가방을 거꾸로 들고 책상 위에 쏟았다. 생물노트가 튕겨져 나오는 것이 아닌가? 다른 노트와 겹쳐져 있어 쉽게 찾지 못한 것이다. 한참 동안 멍하니 선 채 선생님께 혼난 것이 억울한 생각이 들어 몹시 속상했다. 모든 상황이 끝나고 나서야 뒤늦게 나오다니 무척이나 야속했다.

다음 날 아침 수업내용을 잘 정리한 노트를 갖고 조심조심 교무실을 찾아가 선생님께 보여드렸다. "잘했군" 말 한마디 하시고는 가라는 거다. 이유 없는 반항기에 접어든 사춘기 시절, 괜시리 우

울해지기도 하고 현실이 불만스러워 짜증을 부리기도 하는 때였다. 에잇! 생물 공부를 포기해 버릴까 하는 반발심과 실없는 사람이 아님을 보여줄까 하는 마음에 갈등이 생겼다. 난 후자를 선택했다. 매시간 더욱 정성을 쏟아 노트 정리를 하고, 예습과 복습을 철저히 해서 실력을 갖추었다. 성적이 매우 좋아 수업시간 칭찬을 받았을 때는 세상 날아갈 듯한 기분이었다. 시간이 흘러가는 동안 생물체의 다양성과 생명의 신비로움이 보였고, 자연 속에 숨겨있는 진리를 깨닫는 앎의 기쁨으로 푹 빠져들었다. 수업시간 선생님께 억울하게 혼난 그 사건이 내 인생의 터닝포인트가 된 것이다.

따스한 봄날 친구의 결혼식에서 중학교 시절 생물 선생님을 만났다. 반가운 마음에 한걸음으로 달려가 인사를 드리고, 20여 년 전 수업시간에 있었던 일을 이야기하며, 지금 생물선생님이 되었다고 말씀드렸더니 "내가 언제 그랬지?" 허허 웃으셨다.

삶은 선택의 연속이다. 인생의 목표가 무엇이냐에 따라 삶의 방향과 방법이 달라진다. 똑같은 경험도 자신이 그것을 어떻게 받아들이고, 어떠한 행동을 취하는가에 따라 그것이 인생을 바꾸는 터닝포인트가 될 수 있고, 그저 평범한 일상처럼 아무렇지 않은 일이 될 수도 있다. 우리들의 꿈은 주위에서 누구를 만나 어떤 영향을 받느냐에 따라 변할 수 있다. 내가 좋아하는 것과 잘하는 것을 찾는 것이 중요한데 어린 시절 선생님과 부모님의 작은 칭찬 한마디가 자신감 있는 사람이 되게 하고, 새로운 세계에 눈을 떠서 열정적인 삶의 길을 걷게도 한다.

지혜의 눈을 떠서 새로운 세계를 보며, 맛을 느끼게 하여 즐거움을 갖게 해야겠다. 마음속에 있는 내가 춤추며 노래하게 하면 아무리 고통스럽고 힘들어도 잘 참아내며 이겨낼 수 있으리라. 꿈나무 아이들 마음에 어떤 그림을 그려야 할까? 동쪽 하늘부터 서쪽 하늘까지 쌍무지개를 그리고, 푸른 산과 들판엔 온갖 색깔들로 핀 꽃을 듬뿍 피우고 싶다.

대청호의 봄 자락

하늘 물빛 정원이 펼쳐진 대청호 물길이 행복을 수 놓는다. 아침 물안개가 고요한 호숫가에 솜사탕으로 피어오르고, 잔잔한 바람에 수면 위로 비취색 치마가 사그락사그락 물결친다. 호수 속 어두운 산 그림자도 봄 옷으로 갈아입으려 준비한다. 부드러운 솜털 모자 쓴 벚나무 꽃봉오리는 미소를 짓고, 볼에 스치는 바람에도 흙냄새가 묻어온다. 내 마음도 호수만 한 마음이었으면 참 좋겠다.

대청호는 한국의 중심에 자리 잡은 명소로 천혜의 자연환경을 갖추고 있다. 대전과 청주지역을 걸치고 있는 인공 호수다. 오른쪽으로 청주 상당구 문의면 덕유리, 왼쪽으로는 대전 대덕구 미호동을 가르는 거대한 호수다. 식수와 농·공업용수로 쓰이는 금강의 젖줄이다.

대청호 오백 리 길은 스물한 개 구간마다 다양한 특징을 가지고 있다. 한 개 구간이 약 10km 정도로 구성되어 있다. 연인끼리 낭만을 즐길 수 있는 데이트 코스, 농촌체험과 문화답사를 겸하여 걸을 수 있는 가족여행 코스, 등산이 가능한 산행 코스가 있는가 하면, 아이들과 함께하는 교육여행 코스, 푸른 호수를 감상하며 생각에 잠길 수 있는 사색 코스가 있다. 그중 4구간은 대청호 길에서 보고 느끼며 체험하고 즐길 수 있는 가장 아름답고 인기 있는 올레길이다.

문의를 지나 대청호 입구 미천리(美川里)마을 표지석이 있다. 아름다운 내가 흐르는 동네라는 뜻인데 소리나는 대로 읽으니 왠지 부자연스럽다. 이름은 뜻도 좋지만 부르기 좋아야 한다는 생각이 든다.

선착장 나루터 전망대에 올랐다. 동산에 무리 지어 있는 적송이 은빛 여울지는 호수와 정겨운 밀회를 나누며 서 있다. 작은 쑥 잎이 손을 내밀고 애기똥풀도 기지개를 켠다. 자주색 봄까치꽃이 깜찍하게 피어 반갑게 맞이한다. 열매가 개불알을 닮았다 하여 붙여진 이름으로 많은 사람들에게 큰개불알꽃으로 불리기도 한다. 물의 정원과 함께 멀리 취수탑과 분수대가 보인다. 이곳에서 배를 타고 사공과 함께 굽이굽이 회룡포를 따라 산수를 즐기며 노래하면 이보다 더 좋을 수는 없을 것이다.

양성산이 있는 불당골 공원에는 산수유가 노오란 꽃잎으로 따스한 봄소식을 전한다. 옆에는 문화재단지와 객사로 쓰였던 자리에 미술관이 자리 잡고 있다. 인공 호수를 만드는 과정에서 보금자리를 잃고 떠나야 하는 실향민도 있었다. 불당골, 부수골, 터밭, 아래장터라는 네 개의 자연부락이 합쳐진 조동마을. 수몰되어 떠나는 아쉬움에 고향을 그린 유래비를 보니

"수백리길 물결만 출렁거려, 그냥 홀로 서성거리다, 마음은 대청댐에 남겨 두고 돌아간다"

라고 애절한 마음을 노래했다. 잃어버린 땅이야 다른 곳에 가서 또 다른 땅을 사면 되겠지만 보금자리를 틀고 오순도순 모여 살던 그 집 그 땅을 언제 다시 찾아볼 수 없으니 얼마나 슬픔이 크겠는가.

문화재단지 입구에서 솟대와 12간지 동물상과 눈을 마주했다. 깔끔하게 단장되어 있는 고읍(古邑) 정자에 앉아 바라보는 대청호수는 수몰된 아픔의 여운이 남았는지 물안개로 덮여 있어 더욱 아련함이 들었다. 호수 속에 비친 나무 숲 그림자도 흐린 잿빛으로 보인다.

대청댐 전망대를 향하는 길가 마른나무 가지 끝에는 당장이라도 꽃피울 듯 꽃봉오리들이 겨울잠에서 깨어나 옹기종기 줄지어 달려있다. 산모롱이를 지나는데 진달래가 수줍은 듯 방긋 웃는다. 그 너머로 목련꽃도 고개를 내밀고 있다. 나도 웃고 그들도 웃는다. 가을은 울긋불긋한 색깔이 마음에 스며들지만, 봄은 노랑, 분홍, 빨강색으로 생명력 있고 강렬한 눈빛으로 다가온다.

수면 위로 부서지는 햇빛이 눈부시다. 금강줄기 따라 능수버들이 봄맞이하러 줄을 지어 서 있고, 파랑이 넘실대는 거대한 호수에 물오리 한 마리가 떠다닌다. 그 움직임이 작은 파동으로 발끝에 전해진다. 바람과 물과 햇볕이 속삭이는 나지막한 목소리에 눈을 감고, 가만히 귀 기울여 들었다. 혼자 걸었으나 결코 외롭지 않았던 대청호 오백 리 길은 사색하는 즐거움을 주었다. 생명의 근원인 물이 희망찬 미래를 열듯이 우리의 삶도 가슴 시리도록 빛나면 얼마나 좋을까.

젊은 날의 초상 肖像

아내는 배가 아프다며 손으로 아랫배를 움켜잡는다. 혹시 무엇을 잘못 먹었나? 평상시 먹던 밥과 국 그리고 반찬엔 별 탈이 일어날 것이 없었다. 안색이 창백해지고 힘이 풀려 축 처진 어깨를 가누지 못하면서도 꾹 참고 견디고 있는 모습이 애처로웠다. 결혼한 지 2년이 지나 봄, 여름, 가을, 겨울 해가 바뀌고 또다시 봄이 왔는데 그때까지 태의 열매가 없었다.

손과 발 눈동자가 점점 힘을 잃어가고 탈진상태인 아내를 등에 업고 병원으로 달려갔다. 진료한 의사는 난소 출혈이 생겨 자궁에 피가 고였다고 한다. 수술을 하게 되면 임신 확률이 1/3로 줄고, 수술 중 어떤 문제가 생겨도 이의를 제기하지 않겠다는 서약서를 쓰라고 한다. 청천벽력 같은 소리에 놀란 가슴을 움켜잡고 멍하니 하늘을 바라보았다. 파릇파릇한 새싹이 돋아나는 따스한 봄날이다. 새 생명의 순이 땅속을 삐집고 나오지만 무심하게도 내 가슴엔 캄캄한 바다 풍랑이 일고 있었다. 어쩌면 난, 혼자 살아가야 할지도 모른다. 어찌

할 바를 몰라 당황했다. 죽음의 길에는 아무도 대신 걸어갈 수 없는 거구나! 삶의 종착역을 생각하면서, 혹여 잘못되더라도 끝까지 사랑하며 가리라 다짐하고 무거운 마음으로 수술 동의서에 사인을 했다.

초조하고 두려운 마음을 기도하며 기다린지 몇 시간이 지나 마취가 깨어난 아내가 일반병실로 돌아왔다. 문득 자식이 없는 부부로 살아야 할지도 모른다는 생각이 들었다. 그러나 아내가 살아 있음에 감사하며, 사랑할 수 있어서 고마웠다. 눈을 뜨고 미소 짓는 얼굴이 장하고 대견스럽게 느껴졌다. 30여 년을 키워주고 정을 쏟아주었던 가족을 떠나 내게로 온 사람, 한평생 남편만 믿고 살아가겠다는 여린 아내 손을 잡고 입맞춤을 했다. 긴 여정을 홀로 외롭게 걸어온 것 같았는데 누군가 함께 뒤안길을 따라온 발자국이 있음에 마음 깊이 감사했다.

소식을 들은 친구가 수술을 한 사람에겐 용봉탕이 몸에 좋다며, 낚시로 잡은 잉어와 자라를 가져왔다. 잉어를 가마솥에 넣고 기름에 앞뒤로 볶은 후 자라를 넣어 푹 삶은 탕을 만들어 주었다. 이마에 송글송글 땀방울이 맺힌 채 먹는 아내 모습이 복스러웠다. 회복은 빨랐고 밝은 웃음도 되찾아서 너무 기뻤다. 젊음은 이래서 좋은 것인가 보다. 부부의 사랑이 그렇게 깊어지는 가을, 한 개의 난소로는 배란이 부족하였지만 아내가 임신했다는 놀라운 소식을 들었다.

당직을 하면서도 걱정이 되어 아침이 되자마자 집으로 전화를 걸었다. 교환수가 전화를 연결해 주어야 하던 시절이다. 연결된 줄 착각하고 '사랑해, 여보!' 했더니 아무런 말이 없다. 키득키득 웃는 소리에 깜짝 놀랐다. 교환아가씨가 받고 있었던 것이다. 그때부터 "김 샘은 사랑꾼!"이라는 별칭을 갖게 되었다. 아내 퇴근 시간이 되면 머리에 두건을 쓰고, 앞치마를 두른 채 싸리문 밖까지 마중을 나와 손을 흔들었다. 신혼의 단꿈과 사랑의 정이 날로 쌓여갔다.

임신한 아내는 몸이 앙상하게 말라 얼굴이 반쪽이 되었고, 가냘픈 다리로 걸음을 걸으면 무릎에서 뿌드득 소리가 날 정도다. 밥도 제대로 먹지 못하고 힘들어 했으나 생명의 움직임에 모성애는 더욱 강렬했다. 향수의 고장 옥천에서 수학여행을 가는 날 아침 아내의 진통이 시작되었다. 그러나 지인에게 맡기고 떠나야만 하는 발걸음은 한없이 무겁기만 했다. 어쩌란 말인가? 그토록 고생하며 어렵게 잉태한 아이의 출산을 지켜볼 수 없다니 너무 아쉽고 서운했다. 여행 버스가 출발하자 여고생들은 신이 나서 박수를 치며 노래를 한다. 차창 밖에는 들풀과 꽃들이 스쳐가지만 내 마음은 홀로 두고 온 병실을 떠나지 못했다.

남편이 없는 병원에서 긴 산고 끝에 우리 집 보물 1호가 태어났다. 그것은 기적이다. 아기는 슬픔에 잠겼던 아내에게 기쁨의 전달자요 위로자였다. 쌍꺼풀진 왕방울 두 눈과 보조개가 쏙 들어간 미소는 이 세상 그 무엇과도 바꿀 수 없었다.

아기천사의 웃음소리는 행복의 고동소리요, 아픔의 눈물 속에 꽃 피운 사랑이었다. 어두운 밤이 지나 동녘에 떠오르는 붉은 해가 찬란해 보이는 것처럼 깊은 슬픔과 아픔 속에서 얻어지는 환희가 더욱 가슴 절절했다. 캄캄함 밤하늘에 더 많은 별들을 볼 수 있듯 고난의 터널을 지나 내게로 온 선물이었다.

모히토에서
몰디브 한잔

몰디브는 지상의 파라다이스 같은 곳이다. 달콤한 로맨스를 꿈꾸는 청춘들이 신혼 여행지로 가장 선호한다. 사랑하는 연인과 함께라면 어느 곳으로 간들 기쁘고 행복하지 않겠는가. 이곳까지 직항하는 비행기가 없어 대부분 스리랑카나 싱카포르를 경유해서 간다. 우리 가족은 두바이를 거쳐 몰디브로 향했다. 화창한 햇살에 하얗게 빛나는 백사장, 비단결 같은 푸른 바다가 겹겹이 펼쳐진다. 완벽한 그림을 만드는 허니문 여행지로 첫손가락에 꼽힐 만큼 로맨틱한 휴양지다. 파랑 빛의 어울림은 말로 표현하기 어려울 정도다.

인도의 서남쪽에 위치한 '몰디브' 섬은 1965년까지 영국령이었으나 독립하여 하나의 나라가 되었다. 1,190여 개의 섬으로 구성된 나라이지만 사람들이 사는 곳은 200여 개 정도의 섬들이다. 거대 환초들의 넓이로 보면 남한의 면적과 비슷하지만, 실제 물 위에 있는 육지 면적만을 합하면, 우리나라 군(郡) 정도의 땅이란다. 몰디브는 스리랑카 사람들이 많이 와서 살고 있다. 지상 낙원이라 부르고 그림 같은 바다에 리조트가 만들어져 있는데 바다 수면 위에는 다양한 집을 지어 놓았다. 새의 꼬리 형상을 하거나, 물고기 모양을 한 것도 있으며, 어항 같이 꾸며진 것들이 꽤 이국적이다.

백사장은 모래보다는 산호 조각들이 가득하다. 발끝에 닿은 감촉이 아기의 살결같이 부드럽다. 바다 색깔은 비취색으로 청아하여 매혹적이었다. 맑은 물속으로 온몸을 던졌다. 물고기들이 친구가 온줄 알고 발끝에 와서 주둥이로 쪼아대며 인사를 한다. 물안경을 쓰고 바위 주변 산호초를 둘러보는데 미역과 다시마가 하늘거리며 춤추고, 풀가사리, 모자반, 톳이 손과 발목을 휘감고 악수를 청한다. 총천연색 열대 물고기들이 따라다니면서 영원에서 이어오는 바닷속 이야기를 들려주는듯 노닌다.

빨갛게 등이 타는 줄도 모르고, 하늘 물빛 바다에 반해버렸다. 파란 바다가 끝인지 푸른 하늘 지평선이 끝인지 분간하기 어려웠다. 우리의 꿈도 저렇게 끝없이 펼쳐지리라 기대하면서 양팔과 다리를 벌려 하늘 높이 뛰어 날아 보았다. 잠시 풀장에 와서 소금기 있는 몸을 씻었다. 타올로 젖은 물기를 닦고, 해먹에 누워 흔들흔들 쉼을 가졌다. 함께 온 젊은이가 빙긋 웃으며

"모히또에 왔으니 몰디브 한잔 해야죠?"

한다. 순간 멋진 말이다 하고 곱씹어보니 나도 모르게 웃음이 나왔다. 우리가 지금몰디브에 왔는데…. 서로 눈길을 마주한 채 한바탕 웃음이 쏟아진다. 바꾸어서 이야기를 해도 쑥스럽지 않고 부끄럼 없이 말할 수 있는 자연스러움은 여행의 묘미다.

모히또는 무알코올 음료다. 애플 민트와 라임 조각들을 볼에 옮겨 꽉꽉 으깨어 긴 컵 안에 모두 모아 넣는다. 그 위에 설탕과 물을

섞어주고, 얼음을 넣어 만든 시원한 음료다. 상큼한 라임 맛과 기분 좋은 애플 민트향이 후각과 미각을 동시에 즐겁게 한다. 상큼 쌉쌀한 맛이 특징이라 살짝 느끼한 음식과 찰떡궁합이다. 외국에 나가면 특별대우를 받는 컵라면과 함께 먹는 맛은 꿀맛이다. 모히 또 한잔을 들고 우리들의 행복과 사랑을 위해 건배하며 마셨다. 그동안 쌓였던 여행의 피곤함이 한순간 확 풀리는 느낌이다.

'엠부두 빌리지' 리조트의 각 방에서 한 가정씩 머무르며 휴식을 만끽했다. 책을 읽는 이도 있고, 노래와 기타를 치는 사람도 있다.

"세상 소식 끊고 거추장스러운 신발을 벗은 채
자연으로 살라(No News, No Shose)"

라고 적혀있는 푯말을 보았다. 자연으로 돌아가는 것이다. 그래 이런 곳에 와서도 세상의 근심과 걱정을 하는 것은 거추장스러운 일이지. 바다의 모습이 마치 하늘을 뒤집어 놓은 듯 아름다웠다. 손가락만 살짝 가져다 대도 하늘에서 푸른 물이 뚝뚝 떨어져 내릴 것만 같은 아름다운 곳에 머무르는 행복함이 충만했다.

'아라단바두' 리조트 앞 투명한 바닷물 속을 바라다보니 넓적한 가오리가 꼬리를 흔들고, 작은 물고기 떼와 새끼상어들이 한가로이 노닌다. 푸른 바다 위 별빛이 쏟아지는 밤에 연인과 함께 손을 잡고 거닐 수 있는 아기자기한 작은 숲길과 은은한 조명이 빛나는 비밀장소가 있다. 별빛 아래에서 잠드는 듯한 환상적인 밤을 선사한다. 밤바다 물속에 또 하나의 은하계를 만들어 우리를 유혹하고 있다. 연초록 형광플랑크톤이 물리적 충격을 받으면, 해수중의 산소와 반응해 빛을 발하는 것이다. 푸른색을 띠는 밤바다는 수많은 별들이 반짝이는 것처럼 또 다른 아름다움이다. 물속이 말갛게 비치는 몰디브의 바다 풍경은 연인들의 첫날밤, 달콤한 신혼의 꿈을 유혹하기에 충분하다. 낯선 곳에서 이루어지는 만남 속에 새로운 흥분이 있기에 우리는 또 여행을 떠난다.

한여름 밤이 무르익는다.

웽웽거리며 달려드는 모기떼들을 피하려 부채질을 해보지만

쉴 새 없이 뜯기는 아픔은 열대야보다 괴로웠다.

참다못해 보리 짚단과 쑥대불을 지펴 뿌연 연기를

마당 구석구석 보내면 한동안 조용해지기도 한다.

올해도 백중은 뜨거운 열기를 내뿜고 변함없이 지나가고 있다.

여름

아버지의 강

　속내를 잘 드러내지 않아 부자간에 늘 서먹서먹했던 아버지가 보고 싶다. 손 마디 마디 굵은 주름이 생기고, 갈라진 발바닥에 피가 맺혔을 때도 가슴으로만 삭이시던 아버지…. 괜찮다 손사래 치며 웃어 보이고 이만하면 다행이다 돌아서서 눈물만 훔치셨다.

"힘든 세상에 태어나 이 어려운 세상 풍파를 우리 자식이 아니라, 우리가 겪은기 참 다행이라꼬."

　영화 '국제시장' 주인공 덕수씨 말이다. 가슴 절절한 아버지의 고백이자 굴곡진 삶을 이야기 한다. 남녀노소 국적을 불문하고 가족을 위해 고생하는 아버지의 이야기는 언제나 마음을 사로잡는다. 평생 단 한 번도 자신을 위해 살아본 적이 없는 우리 시대의 아버지이다. 영화를 보는 내내 제 몸을 희생하는 가시고기가 생각났다. 그리고 그 사랑 위에 내 아버지의 삶이 겹쳐졌다.

아버지 일과는 늘 동트기 전부터 시작되었다. 제일 먼저 하는 일은 부엌에서 나뭇간에 쌓인 나뭇단을 풀어 불을 지피고 소죽을 끓이시는 거다. 무쇠 가마솥이 소리를 내며 눈물을 흘리면 솥뚜껑을 열고 여물에 등겨를 얹어 휘저어서 구유에 담아준다. 주먹만 한 눈을 둥글리며 맛있게 먹는 우리 집 재산 1호 누렁이를 바라보며 흐뭇해하시는 아버지의 모습이 어깨너머로 보였다.

무더운 여름날이면 누렁이가 냄새 날까 봐 방죽에 가서 목욕을 시켜주었고, 새 지푸라기로 외양간 바닥을 깔아 주셨다. "오늘 개운 하겠구나!" 혼잣말을 하며 당신도 우물가로 가서 등목을 하셨다.

아침 식사를 하다가도 소가 여물을 먹지 않으면 "저놈의 소 새끼 왜 저러고 있는 거야!" 속상해하며 소리치셨다. 그리고는 잡숫던 국에 밥을 말아 구유에 부어주셨다. 앉으나 서나 누렁이를 든든해 하셨다. 새끼를 낳으면 자식을 보듯 좋아 함박 웃음꽃이 피었다. 잘 키워 장에 내다 팔면 돈이 되는 가난한 농가의 유일한 수입원이었기 때문이다.

논밭을 갈기 위해 쟁기를 지게에 지고 소를 몰고 갈 때는 친구가 된다. 논두렁 밭두렁을 지나면서 흥얼거리던 농부가의 구성진 소리가 지금도 귓가에 들리는 듯하다. 쟁기로 밭을 갈 때면 호흡이 척척 맞는다. "이럴루우!" 하면 오른쪽으로 가고 절러루우!" 하면 왼쪽으로 간다. "이랴! 이랴아!" 하면 소의 걸음이 빨라지고, "워, 워" 하면 멈춘다. 단 몇마디로 서로 통하는 거다.

꼴을 베어 한 짐 잔뜩 외양간 앞에 쏟아 놓으면 큰 입을 벌려 혀로 감싸 어금니로 갈아 먹는다. 그리고 밤늦도록 곰곰이 되새김질을 한다. 그 모습을 기쁘게 바라보시는 것을 보면 서로에게 감사한 마음이 교감되고 있음을 알 수 있다. 추수할 때는 누렇게 익은 볏단과 보릿단을 소등에 얹어 나르셨다. 외양간 누렁이는 아버지의 친구요 애인이요 가족이었다.

단벌 바지와 러닝셔츠로 한여름을 지내면 무릎은 헤져 너덜너덜해진다. 발가락이 삐져나온 양말을 신은 아버지를 보면 마음이 아팠다. 어머니께서 천을 대고 수도 없이 꿰매준 아버지의 옷은 장날 품바의 모습 같았다. 누더기 옷을 입은 채 손이 시려 호호 불면서도, 아들이 비에 젖을까 눈 맞을까 걱정이셨다. 알뜰살뜰 모은 돈으로 운동화를 사서 신기고, 털장갑을 끼워 주시던 아버지였다.

누나가 시집갈 무렵에는 솜이불을 해주려고 목화밭을 만드셨다. 쌍고개 고추밭에 고추가 주렁주렁 달리면 붉게 익은 것을 따서 포대에 담고, 5일장에 나가 팔아서 학비를 마련하셨다. 허기진 배를 움켜잡고 시장통 그 흔한 국밥 한 그릇 못 사 먹고 돌아서신 아버지…. 통학 버스가 뿌옇게 먼지를 일으키며 황톳길을 달려오는 저녁이면, 그제서야 아픈 허리를 펴신다. 혹여 아들이 오는가 서녘 해를 손으로 가리고 바라보는 아버지의 기다림은 무언의 사랑이었다. 자신의 전부를 내어 주셨던 아버지야말로 가시고기 사랑이었다.

어느덧 나도 작은 글씨가 잘 보이지 않아 돋보기를 써야 하는 할아버지가 되었다. 자녀들을 출가시키고 손주들 재롱에 행복을 느끼며 산다. 꼬물꼬물 자라나는 손주들을 보면 입안에 있던 것도 꺼내주고 싶다. "잘살아보세!" 노래하며 가난과 배고픔을 이겨냈다. 오직 가정과 자녀만을 위해 살아왔던 인생 뒤안길을 바라본다. 속 빈 강정 같은 헛헛함을 느끼며 아버지의 마음이 내 안에 들어온다.

아버지가 보고 싶을 땐 아버지 계신 산소를 찾는다. 양지 녘에 할미꽃이 가지런하다. 자줏빛 융단 같은 속살 녹여 자손을 번성시키느라 머리가 하얗게 센 모습으로 나를 맞는다. 목젖으로 뜨거운 액체를 삼키며 봉분의 잔디를 짚어 본다.

"너도 힘들었지? 잘했다. 잘하고 있다."

하시는 아버지의 목소리가 출렁출렁 가슴으로 흘러든다. 당신에게서 받은 사랑 끝내 갚지 못하고, 내 사랑의 강은 다시 자식에게로 향하는 내리사랑이다. 그렇게 아버지는 강이 되어 흐르고 또 흘러간다. [2021.6.5. 전국김소월백일장 대상]

백중날

먹구름이 몰려온다. 어두컴컴한 하늘에 번개가 번쩍이더니 천둥소리가 요란하다. 굵은 소나기 빗방울이 호박잎에 후두둑 떨어진다. 간간이 구름사이로 햇빛이 보이지만 서녘 하늘에는 빗줄기가 바람 따라 융단이 물결치며 드리우듯 내리고 있다. 숨을 헐떡이게 만든 무더위도 한풀 꺾여 잠시 쉬었다 가는 것 같다. 어린 시절에 어머님이 들려주시던 이야기가 생각난다. 칠월 칠석날 까치가 오작교에 다리를 놓으면, 그 위로 견우와 직녀가 걸어가서 만나고, 반가움과 사랑의 뜨거운 눈물 흘려 이렇게 비가 많이 오는 거라고 하셨다.

음력 칠석날이 지나면 '백중'이 다가온다. 백중은 갖가지 과일과 채소가 많아 100가지 곡식의 씨앗을 갖추어 놓았다고 하여 생긴 이름이다. 조상의 혼을 위로하기 위하여 음식, 과일, 술을 차려놓고 제사를 지내는 "망혼일"이란 이름으로 불리기도 한다. 마을 사람들은 초등학교 운동장에 모여 체육대회를 여는데, 일손을 놓고 하루 쉬며 술과 가무를 즐기기도 한다. 어머님이 잘 익은 수박 한 통을 쪼개어 들고 오셨다. 어머니께서는, "내일이 백중인데 친구들과 실컷 놀아라" 하시면서 백 원을 주시는 거다. 기왕 주실 거면 천 원은 주시지 백 원이 무어냐며 받지 않고 있으니, "남자 주머니에 백 원도 없어서 되겠냐?"하시는 바람에 웃음보가 한바탕 터져 나왔다.

그날 밤, 둘째 형님이 한밤중에 서울에서 내려왔다. 그런데 싸리문을 열고 들어오면서 "아버지!" 하며 흐느껴 우는 통곡 소리에 집안사람들 모두가 놀랐다. 등잔에 불을 켜고 사랑채에서 잠자던 형님까지 뛰어나와 웬일이냐고 물었다. 울던 형님이 안방에서 주무시다가 일어나 앉으신 아버지를 보고는 안도의 숨을 몰아쉬는 거다. 형님 친구들이 백중날 체육대회에 나갈 동네 선수를 모으느라 아버지가 돌아가셨다는 부고장을 서울로 보낸 것이다. 소식을 받자마자 그 밤에 차를 몰고 고향으로 달려온 형님 이마엔 땀방울이 맺혔고, 러닝셔츠가 흠씬 젖어 있었다.

사연은 이랬다. 백중날은 무더운 날씨 때문에 일을 할 수가 없다. 많은 땀을 흘리며 밤잠을 쉽게 이루지도 못한다. 하여 시골에서는 모두가 일손을 내려놓으며 쉬는 날이 되었고, 초등학교 운동장에서는 마을대항 체육대회가 매년 열렸다. 그중 '석성'과 '화죽' 마을은 가구 호수가 가장 큰 편이고, 건강한 청년들이 많아서 늘 체육대회 1, 2위를 다투어 왔다. 축구와 육상경기의 점수가 동점이 된 상태에서 마지막 배구경기만 남았는데 중앙 세터가 없는 것이다. 우승의 결정은 배구경기로 판가름이 날 판이다. 배구는 선수가 볼을 잘 올려주면 킬러가 강하게 때려서 점수를 올리게 되며, 경기의 승리를 얻게 된다. 세터로는 둘째 형님이 동네에서 가장 잘했다. 그런데 서울에 있는 형님보고 내려오라고 했지만 사업상 바쁘다고 미루었다. 가슴을 조리던 마을 청년들은 이기고 싶은 마음에 기발한 아이디어를 짜냈다. 부고장을 보내고 서울에서 내려오게 하여 내일 경기를 이겨보자고 했다. 그 바람에 이런 비상사태를 연출하게 된 것이다. 둘째 형님은 아버지가 살아계신 모습을 보고 허탈한 웃음으로 달랬었지만, 상당한 충격은 쉽게 가시지 않았다.

하룻밤을 뜬눈으로 지새우고 날이 밝았다. 경기장은 아침부터 뜨거웠다. 북을 두드리며 마을 사람들이 모여들었다. 어린아이들까지 손에 손을 잡고 뒤따라 들어왔다. 서브로 공격을 할 때는 꽹과리 소리가 고막이 찢어질 듯 시끄럽게 들린다. 징소리도 묵직하게 가슴을 울려주었다. 한 포인트가 올라갈 때마다 "잘했군 잘했군 잘했어!" 뺑뺑이를 돌며, 아저씨들은 엉덩춤을 추었고, 수건 두른 아줌마들의 어깨춤은 흥을 돋우었다. 3세트까지 이어져가며 듀스를 거듭할 때는 입에 침이 마를 정도였다. 어쩌다 실수를 하면 땅이 꺼져라 발을 동동 구르고, 한숨을 길게 내쉬며 안타까워하기도 했다. 그러나 '동골' 동네 킬러가 멋지게 배구공을 때려 점수를 얻으면 난리 법석이 일어난다. 당장 죽어도 여한이 없는 사람처럼 환호하며 박수를 치고, "이겨라! 이겨라!" 목이 터져라 외쳐댔다. 그동안 쌓였던 수고와 힘들었던 묵은 찌꺼기들이 한꺼번에 씻겨나간 듯 밝은 웃음꽃들이 만발했다. 승리의 기쁨을 뒤로한 채 서울로 향하는 형님의 발걸음은 씁쓸한 뒷맛을 남기는 여운이 짙었다.

백중날은 열대야로 힘들게 일하던 사람들의 휴식이요 쉼을 얻는 날이다. 일하는 머슴들이 용돈을 받고, 맛있는 음식을 먹으며 안식을 누리는 날이기도 하다. 마당에 멍석을 깔아놓고 온가족이 둘러 앉아 지나온 이야기 꽃피우면, 한여름 밤이 무르익는다. 웽웽거리며 달려드는 모기떼들을 피하려 부채질을 해보지만 쉴 새 없이 뜯기는 아픔은 열대야보다 괴롭다. 참다못해 보리 짚단과 쑥대불을 지펴 뿌연 연기를 마당 구석구석 보내면 한동안 조용해지기도 한다. 올해도 백중은 뜨거운 열기를 내뿜고 변함없이 지나가고 있다. 지금 까지 코로나19로 마스크를 쓴 채 창살 없는 감옥 같은 생활을 지내며, 날개 떨어진 새처럼 기가 죽어 있었다. 계곡에서 흘러내리는 청정수 한 사발로 말 못하고 답답한 심정을 훌훌 털어버리고, 오장육부가 시원하도록 목젖을 꼴딱이며 마시고 싶어진다.

그날 밤

그해 겨울, 손을 호호 불며 안방에 들어섰다. 어머니는 나를 물끄러미 바라보시다가 "몸이 차구나!"하셨다. 체질을 바꾸어 주어야 하는데…. 하시면서 헛간에 매달아 두었던 약초 '부자'를 들고 오신다.

"차게 식혀서 먹어야 해!

이것을 끓여 먹으면 손과 발이 따뜻해진단다."

하시면서 아내에게 건네 주셨다. 부자는 질병 치료에 많이 쓰이고 있는 약재이다. 그 뜨거운 성질로 인하여 주로 양기 부족이나 차가운 기운이 너무 심하게 쌓인 병증에 쓰인다. "몸이 차면 만병의 근원이 되는 거야 몸을 따뜻하게 해 주거라" 당부하는 말씀도 잊지 않으셨다.

아내는 집에 와서 깨끗이 씻어 약탕기에 넣고, 뜨거운 불에 달여서 부엌에 놓아두었다. 추위에 떨며 집에 들어온 나를 보고 약대접을 내밀며 먹으라고 한다. 눈을 감고 쭉 들이마셨다. 그런데 그

날 밤 갑자기 배가 아프기 시작했다. 식은땀이 나며 잠을 잘 수가 없었다. 끝내 집 밖으로 나가서 토하고 냉수를 마셔도 가슴이 답답해 미칠 지경이었다. 바람이 불어 쌀쌀한데 밖에 나가 찬 공기를 마셔 보아도 소용없다. 너무 괴롭고 힘들어 데굴데굴 뒹굴어도, 아내는 옆에서 코를 골며 깊은 잠에 빠져 있다. 남편이 죽어도 모를 판이다. 검은 머리가 파뿌리 될 때까지 나를 사랑한다고 한 말이 맞는가 하는 생각이 들 정도로 정말 서운했다. 그날 밤 나는 "종은 울리기까지 종이 아니고 사랑은 느끼기까지 사랑이 아니다."라고 한 말이 맞구나 하고 생각이 들었다. 그 정도로 힘들었다.

다음 날 아침, 학교 수업을 하려고 출근을 하는데 다리가 후들후들 거리고 힘이 없다. 수업 시작종이 울려서 교실로 들어갔다. 책을 펴고 칠판에 제목과 내용을 요약하여 판서를 하는 순간, 아뿔싸! 글씨가 잘 보이지 않는다. 이러다가 실명하는 것은 아닐까? 하는 생각까지 들었다. 수업은 책으로 눈을 가리고 설명할 수 있었다. 도대체 기운을 차릴 수가 없고 손발이 떨려서 견디기 어려웠다. 종합병원 세 곳을 가서 진단을 받아보았다. 어디가 이상이 있는지 모르겠단다. 몇 개월이 지나 겨우 회복은 되었지만, 해독작용에 힘겨워했던 간이 손상을 입었다. 나중에 안 것으로 그것은 사약과도 같은 것이라고 한다. 냉동고에 넣어 차갑게 식혀서 먹어야 했다. 부엌에서 식혔기에 온기가 조금 남아 있었던 것을 잘 모르고 마신 거다. 섣불리 먹은 부자에 그날 밤 죽을 뻔 했다.

정기 건강검진을 할 때면 간의 GTP수치가 높게 나와 항상 2차 검진이 나온다. 쉽게 피로하며 지친다. 시력이 1.5로 아주 작은 글씨까지 잘 보였었다. 이제는 안경을 써야만 작은 글씨가 보인다.

부자와 같은 사약(瀉藥) 재료라도 체질과 증상에 맞게 처방하면, 매우 좋은 효과를 거둘 수 있다고 한다. 그러나 부작용으로 구역질과 함께 구토 증상이나 근육경련, 의식불명이 될 수도 있고, 심하게 는 호흡곤란과 호흡기 마비의 증세를 일으켜 사망까지 이르게 될 수도 있다고 한다. 체질과 증상에 따라 약이 될 수도 있고, 독이 될 수도 있다. 돌다리도 두들겨보고 건너라는 말이 이를 두고 한 말인 것 같다. 누군가에게 약이 되는 사람으로 살아야겠다.

그 후로 다른 사람과 악수를 할 때면, 상대방의 손보다 내손이 더 온기가 있음을 느꼈다. 부자의 효과가 나타난 것일까? 몸에 열이 많아져서인지 여름 더위를 참기가 꽤 힘들다. 오히려 겨울을 지내는 것이 훨씬 편하고 좋아졌다. 딸들이 손이 시리다며 떨면, 겨드랑이에 손을 넣게 하여 녹여주고 양손으로 빨개진 귓불의 찬기를 따뜻하게 만들어 주기도 했다. 우리 몸의 온도가 1도 올라가면 암세포가 살 수 없다고 한다. 부자가 건강한 체온을 유지하는데 도움이 되었으나 간의 기능과 시력에 손상을 입힌 것이 분명하다.

부부의 정은 세월 따라 익어간다. 아침이면 변함없이 아침상을 차려오는 한결같은 모습에 지난 밤 쌓였던 미움이 눈 녹듯 사라진다. 부부의 끈끈한 정은 이렇게 드는 것이구나. 동병상련의 마음으로 살아가는 고통과 아픔 속에서 고운정 미운정은 더욱 깊어지는 것인가 보다. 힘들었던 그날 밤조차 젊은 날의 애틋한 추억으로 남는다.

손칼국수

날씨가 추워지니 얼큰한 칼국수가 생각난다. 열무김치와 깍두기의 시원한 맛도 좋지만, 구수한 사골 국물에 손칼국수 한 움큼 넣어 끓인 냄새가 더 좋다. 그리고 호박꾸미를 살짝 얹혀 놓은 후 양념간장 한 숟가락 넣어 먹는 맛이란 어머니의 향기가 듬뿍 담긴 듯마음이 푸근하다. 어릴적 어머니가 국수를 밀고 남은 국수꼬랭이를 주면, 아궁이의 남은 불에 구워 먹던 추억이 새록새록 떠오른다. 해가 뉘엿뉘엿 저물어 가면 어머니는 홍두깨와 나무판을 들고 나오셨다. 밀가루로 반죽을 해서 만든 덩어리를 여러 번 누르고 치대서 찰지게 만든 다음 나무판에 올려놓고 긴 홍두깨로 밀어댄다. 넓은 장판지처럼 얇고 둥글게 펼쳐진다. 어머니의 이마엔 땀방울이 송글송글 맺혔다. 그것을 접어 칼로 썰고 나면 작은 조각이 남는다. 물끄러미 바라보고 있던 막내에게 국수꼬랭이를 던져주신다. 부엌으로 달려가 타다 남은 나뭇가지 잿불에 올려놓는다. 아궁이 속에서 타닥타닥 익어가며 부풀어 오르면 뒤집어서 굽는다. 익은 국수꼬랭이는 바삭바삭하여 과자보다 더 맛있다. 불을 지핀 가마솥에서 김치를 넣고 끓이면 칼국수가 만들어졌고, 온 집안 식구들은 배불리 잘 먹었다. 쉽게 먹을 수 있어서 좋았고, 국수가 뱃속에서 불으면서 포만감을 주기 때문에 든든함도 주었다.

겨울밤 형제들이 장기와 윷놀이를 하다가 배가 고파지면 밤참으로 뚝배기에 담긴 손칼국수를 들고 나와 먹기도 했다. 시원하면서도 얼큰한 것이 꿀맛이다. 서로들 키득키득 웃는 목소리에 어머니가 살포시 잠든 눈을 뜨신다. 즐겁게 먹는 모습을 본 입가엔 사랑스런 미소가 번졌다. 형제의 우애를 나누면서 살았던 행복한 추억이 가슴에 아련하게 다가온다. 불고기와 해산물 가득 차린 한상보다도 더 맛있고 좋았던 그리움이다.

서늘한 바람이 불고 굵은 빗방울이 떨어지는 저녁이면 나도 모르게 손칼국수집으로 발걸음이 향한다. 장마철 짝을 찾느라 울음주머니를 한껏 부풀린 개구리와 맹꽁이가 논에서 우는 밤. 총각시절 잠을 못 이루고 밤새 뒤척이며, 그리워하던 님 생각의 추억 때문일까. 어머니의 따스한 손길을 느끼고 싶어서 더욱 그렇게 찾아가는지도 모르겠다. 밥은 반찬과 함께 오래 씹어야 먹을 수 있지만 칼국수는 부드럽고 매끈하여 목에 술술 쉽게 잘 넘어간다. 콩가루를 넣어 만든 것은 쌀밥보다 구수한 맛을 내어 입안에 담백한 여운을 준다.

지역에 따라서는 국수의 모양과 맛도 다르다. 공주 칼국수는 맵고 얼큰하여 쌀쌀한 날씨에 화끈한 맛을 준다. 전라도 지방의 팥칼국수는 담백한 맛을 주고, 소면을 기계로 둥글게 만든 잔치국수는 짧게 자른 파와 깨소금, 김 가루를 넣어 고소한 맛을 주기도 한다. 한여름에는 콩을 갈아서 만든 콩국수와 동치미국물을 넣은 동치미국수가 새콤하며 시원한 맛을 낸다. 장사가 잘되는 식당은 코로나19와 상관없이 손님들로 북적인다. 음식 맛이 좋은 이유도 있겠지만 주인의 넉넉한 인심과 성품도 한몫을 하는 것 같다. 칼국수는 먹고 나면 또 찾아가서 먹고 싶어지며, 숭늉처럼 은은하고 구수한 맛을 준다.

나는 다른 사람들에게 어떤 맛을 주는가 자신을 성찰해 본다. 한 번 보면 두 번 다시 만나고 싶지 않은 까칠한 사람일까? 보면 볼수록 또 만나고 싶은 사람일까? 뜨거워도 맛있고, 차갑게 식어도 맛있는 칼국수처럼 정이 넘치는 구수한 사람이 되면 얼마나 좋을까. 칼같이 끊고 맺는 것이 분명한 사람은 매사 일처리를 명쾌하게 잘 처리한다. 그러나 주위 사람들에게는 냉정함과 찬바람의 정서를 느끼게 할 수도 있다. 마음이 넉넉하여 스폰지처럼 빨아들이는 사람에게는 훈훈한 바람이 불어서 삶에 지친 사람들이 모여들기도 한다. 오래된 고목나무에는 새들이 보금자리를 만든다. 그늘아래 쉼터가 마련되어 한여름을 보내기도 한다. 그처럼, 받는 것을 좋아하기 보다는 주는 것에 여유 있는 사람이 되기를 바라는 마음 간절하다.

밀가루 반죽은 오래 치댈수록 찰지고 끈기가 있다. 그리고 펼치면서 사이사이 밀가루를 뿌리고, 홍두께로 감았다가 또다시 밀치는 과정에서 국수판에 공기가 들어가 부드러워진다. 옹고집으로 자기 자신 밖에 모르며, 모난 성격을 갖고 이웃과 함께 어울리어 살지 못하던 때가 꽤나 있다. 바닷가에서 모난 돌들이 파도에 부딪히고 깨져 부드러운 몽돌이 만들어지듯, 나의 성품도 세월의 홍두께에 눌려지고 치대져서 둥글둥글 원만해지면 참 좋겠다.

　어머니는 자식이 배고플까봐 늘 고봉밥으로 퍼 주었다. 밥그릇에 한 주걱 더 퍼 올려놓는 애틋한 사랑이다. 큰 양푼그릇에 보리밥과 온갖 나물을 넣고 참기름을 떨어뜨려 잘 섞은 후 된장국과 먹을 땐, 이웃집 아주머니들까지도 함께 나누어 먹었다. 날씨가 궂고 찬바람이 부는 날에는 손칼국수집이 더욱 생각난다. 어머니의 구수한 손맛과 푸근한 사랑이 그리워서다. 오랜 세월이 지나 할아버지가 된 마음자락에 아직도 진한 향수처럼 자리를 잡고 있다. 오늘도 손칼국수 집을 향하는 나의 발걸음은 멈출 수가 없다.

시샘꾼

    포도의 고장에 봄볕이 따사롭게 비쳐온다. 화단에는 보라색 나팔꽃이 활짝 피어 아침 햇살을 맞이하고 있다. 청초한 애기범부채꽃과 수국도 양달에 소담스럽게 피었다. 여고생들은 대학입시준비에 밤낮을 가리지 않고, 교실에 불을 켜놓은 채 열정의 시간을 보내고 있다. 아침 자율학습 감독을 하기 위해 출근하려고 옷을 입고 있을 때, 출산을 앞둔 아내가 배가 아프다며 병원을 가자고 한다. 산부인과 병원이 없는 읍 소재지에서 급히 자동차를 운전하여 청주로 출발하고자 했다. 아이 상태를 진단받고 가는 것이 좋을 듯싶어 우선 가까운 보건소를 찾았다.

    "아이가 곧 태어날 것 같아요. 자궁문이 많이 열렸어요."

    "지금 출발하면 가는 도중에 출산을 할 것 같습니다."

    라고 말한다. 남산만 한 배를 가진 아내를 분만실에 뉘어 놓았다. 출산 후 방이 따뜻해야 하기에 보일러를 켜 놓으려 집으로 달려갔다. 아파트 문을 열고 막 들어서는 순간 따르릉! 전화가 왔다.

"선생님 방금 예쁜 공주를 출산했어요."

첫째 아이 낳을 때는 수학여행 때문에 못 보았고, 둘째는 연탄불 피우러 집에 갔다가 보지 못하는 안타까운 일이 생긴 것이다. 소고기를 넣고 미역국을 끓여서 식탁 위에 올려놓았더니 산모는 땀을 뻘뻘 흘리며 먹었다. 산고의 고통을 잊고, 귀여운 아기에게 젖꼭지를 물리는 모습이 대견스러웠다. 그렇게 태어난 딸은 아무 탈 없이 무럭무럭 잘도 자랐다.

명절 전날 큰집에 가는 길이다. 차 안에서 딸들이 누가 부자냐? 하며 왁자지껄 소란을 피운다. 샘이 많은 둘째 아이가 큰 소리로 외친다.

"내가 최고 부자야! 왜냐하면 차창 밖을 보아요. 보람은행이 있지요? 보람슈퍼도 있어요. 보람당의 금은보화가 모두 나의 것이니까요."

어깨를 으쓱! 자랑이 하늘을 찔렀다. 딸부자인 아빠가 보배가 넘치는 삶을 살아가라는 뜻으로 보람이라고 이름을 지어 주었기 때문이다. 맏딸은 믿음직스러움이 있고, 처음 사랑을 독차지하고 자라서인지 자신의 고집이 있는 반면, 둘째는 순발력과 재치가 있고, 자신의 존재를 드러내려는 기질이 많이 보인다.

어느 여름날 오후였다. 강도가 칼을 들고 내 옆구리를 찌른다. 나는 잽싸게 왼팔로 머리를 휘감고는 주먹으로 마구 때렸다.

"아얏?"

꿈이었다. 잠을 깨어보니, 딸아이가 내 옆구리에 기대어 자고 있는 것이다. 시치미를 뚝 뗀 채 옆에 내려놓고 다시 잠을 잤다. 한참 후 잠에서 깨어난 아이가 "아빠! 이마가 이상해"하며 다가온다. 팔베개해서 재웠던 시샘꾼 이마에 동그랗게 혹이 튀어나왔다. 그 작은 혹은 아빠가 꿈속에서 강도인줄 알고 때렸던 것이다. "미안해!" 이마를 쓰다듬어 주며 아빠의 꿈 이야기를 들려주었더니 씩 웃는다. 이렇게 자란 시샘꾼은 지금도 향수의 고장을 가면 "나의 살던 고향" 노래를 부르며 좋아한다.

녀석은 "아빠! 딸 셋이면 충분한데 왜 막내아들은 또 낳았어요?" 하고 질투를 한다. 그러는 아이를 소파에 앉혀 놓고 손가락 하나씩 잡으며 물었다.

"제일 작은 새끼손가락은 별로 하는 일이 없으니 빼버릴까?"

"으응? 아파요."

"그럼 크고 아주 못 생긴 엄지손가락을 뺄까?"

"안 돼요! "

"열손가락 중 어느 손가락을 뺄까?"

"절대 안돼요. 모두 내 손가락이니까."

그래, 네 손가락 하나하나가 소중하듯 아빠는 너희들 모두 똑같이 소중하단다. 시샘꾼은 아무런 말 없이 커다란 눈망울만 굴렸다.

고등학생들을 가르치던 시샘꾼은 성실한 남편을 만나서 예쁜 딸과 똑똑한 아들을 두었다. "이 소리도 아닙니다. 저 소리도 아닙니다. 김이솔 입니다."하면 외손주가 방긋 웃으며 와락 끌어안는다. 멋지고 똑똑한 똑준이 김이준이 하면, "하부지 안아!" 하고 달려온다. 내 자식 키울 때보다 예쁘고 따뜻한 사랑을 더욱 느낀다.

지금도 주말이면 가장 먼저 전화를 하며, 엄마의 안부를 묻고 찾아온다. 아이들은 온 방마다 물건들을 꺼내 놓고 장난감처럼 갖고 논다. 음식을 먹고 이곳저곳에 흘리면 할머니는 치우느라 허리 필

여유가 없다. 방과 거실을 어지럽게 만들어 놓고 밤이 깊어지면 집으로 간다고 인사를 한다. 손주가 올 때는 얼마나 반가운지 모른다. 그러나 가고나면 또 보고 싶어진다. 무조건 주고만 싶은 것이 내리사랑이다. 손자와 손녀는 늙음에 대한 하나님의 보상이라는 말이 맞다.

자식들을 키울 때는 경제적으로 여유가 없어 마음만큼 혜택을 주지 못하여 늘 아쉬웠다. 복(福)은 쫓아다닌다고 잡히는 것이 아니다. 복이 찾아와야만 받을 수 있는 것이다. 시샘꾼은 보람이라는 이름대로 일상생활들이 잘 풀리어 순탄한 길을 걷고 있다. 엄마의 손을 잡고 "딸 셋 키우느라고 고생 했어요. 우리 행복하게 살아요" 한다. 아픈 만큼 성숙해지는 사랑의 순리가 모성애를 더욱 짙게 만든다. 고희(古稀)를 바라보는 아내의 눈동자에 이슬이 맺힌다.

그림자

　요즈음 외출 할 때는 옷차림부터 달라진다. 긴 세월동안 와이셔츠에 넥타이를 맨 정장 차림의 복장에서 자유로워졌다. 그저 수수한 복장으로 운동화를 신고 가벼운 발걸음으로 집을 나선다. 오늘은 대학 친구들 모임에 가는 날이다. 어느새 이순을 지나 흰머리가 나고 주름진 얼굴엔 젊은 혈기가 사라져 가고 있다. 그래도 만나면 기쁘고 즐거운 대화가 있어 좋다.

　"어이 친구, 반갑네 잘 있었나?"

　"응, 자네도 잘 있었고 별고 없었지?"

　"아! 그런데 고향 친구가 엊그제 죽었는다구먼."

　"당뇨가 있었는데 심근경색으로 그리 됐다네."

　"아니, 왜 우리에게 연락을 안 했지?"

　"코로나 때문에 많은 사람에게 알리지 못 했다네."

　항상 유쾌한 웃음소리와 위트가 우리들의 귀를 즐겁게 했던 친구의 소천소식이다. 평상시 얼굴이 조금 통통하게 살쪄 보였지만,

가정생활에 성실하고 남다른 애정이 짙어 친구들의 시샘을 사기도 했다. 그런 그에게 검은 그림자가 오고 있음을 아무도 알지 못했다. 아직 자녀들의 짝을 채우지 못하고 떠났다는 것이 더욱 안타까웠다.

그림자는 침묵의 언어로 속사람의 뜻과 상태를 잘 표현해준다. 사람의 건강이 안 좋으면 맑은 피부가 점점 검붉은 색으로 변한다. 그 그림자가 비치면 죽음의 문턱에 가까워진다는 표시이기도 하다. 마음이 기쁘면 즐거움이 따라다니고, 슬프면 애상의 그림자가 눈가에 스미어 온다. 아프면 이마에 주름이 깊게 나타나고, 걱정 염려가 마음을 괴롭히면 안색이 어두워진다. 낮에 항상 따라다니는 그림자는 지칠 줄 모른다. 걸어도 뛰어도 늘 뒤에서 옆에서 동행한다.

레스토랑에서 저녁을 맛있게 먹고 있노라니 조용한 음악이 들려온다. 친구가 대금 산조를 연주하고 있는 것이다. 창밖을 보니 어둠이 내려앉는다. 오색 찬란한 네온사인이 호숫가에 비춰 파랑을 따라 흔들리며 노래한다. 화려한 불빛이 우리 눈에 들어와 행복감을 주었다. 밤은 숲속의 새들과 들풀에게 휴식을 준다. 휘영청 달이 떠오르는 하늘에 달무리가 만들어졌다. 장마 비구름이 몰려올 소식을 전해 주는 거다. 역사의 뒤안길에 숨겨진 무수한 일들이 밤에 생겨나고 사라진다. 낮에 보기 어렵던 수많은 은하계의 별들을 밤엔 볼 수 있다.

그렇듯 인생의 삶 속에서 고난과 아픔, 슬픔과 시련을 겪는 동안 귀중한 삶의 진리를 깨닫는 경우가 많았던 것 같다. 불행을 겪음으로 행복을 알았고, 고독을 맛보았을 때 사랑의 깊은 의미를 더욱 느낀다. 이것 또한 음양의 조화라고 할 수 있다.

세상의 욕망을 채우려는 바쁜 생활과 삶의 고뇌로 쉼이 없었지만 지구의 그림자 속에 파묻히는 밤이 되면 그 또한 꿈나라의 안식을 누리게 한다. 태양을 중심으로 지구가 공전을 하면서 봄, 여름, 가을, 겨울 사계절을 만든다. 봄과 여름밤에는 이슬로 식물들을 자라게 하고, 가을밤엔 서리를 만들어 뜨거운 여름에 시달린 잎들을 고운 단풍으로 물들인다. 봄꽃보다 아름다운 단풍이 고운 그림자로 호수 속에 여울진다.

앙상한 나뭇가지에는 조그만 싹을 겨울눈으로 숨겨 놓는다. 수많은 풀들은 눈보라치는 추운 겨울을 이겨내려고 땅속에 자신을 묻어 두었다가 따스한 봄날이 오면 다시 기지개를 켜며 세상을 맞이한다. 가을 문턱에서 나무가 물을 내리고 저렇게 아름다운 모습을 정리하듯, 나도 내 인생의 가을을 준비해야겠다.

식사를 마친 친구들은 따뜻한 차 한 잔을 나누며, 젊은 날 추억을 꽃피웠다. 이제는 허옇게 서리 맞은 할아버지들이다.

"여보게들, 우리 내년에 다시 봅시다."

주섬주섬 자리를 정리하며 일어서는 마음이 착잡하다. 메뚜기가 하루살이에게 내일 만나자고 하면 어떤 생각이 들을까? 친구들이 나에게 삼십 년 후에 만나자고 한다면 무어라 답을 해야 하는가. 백 년도 못살면서 천년을 살 것 같이 이 땅에 마음을 둔 내 모습이 한없이 작아만 보였다. 우주 속 은하계의 작은 별이 되어 눈물을 거두고, 밝은 미소를 짓게 하는 나만의 그림자를 남기고 싶은 밤이다.

고무줄 나이

전화벨이 요란하게 울린다. 대뜸 "손자 잘 있었나? 이 할아버지 안부를 좀 물어봐야지 하하…." 고향 친구가 동창회 소식을 전하는 전화다. 그동안 선배들이 초등학교 동문회 체육대회를 주관해 왔는데 이번에는 우리 동기들이 준비를 해야 된다는 것이다. 우리는 종갓집이라 시골에서 촌수가 가장 낮은 편이다. 일반적으로 맏아들이 먼저 결혼하여 자녀를 낳고, 차남들은 나중에 결혼하여 자식을 갖기 때문에 세월이 흐르면 흐를수록 촌수의 격차가 벌어지게 마련이다. 심지어 증조할아버지라고 불러야 할 집안까지 생겼다. 나보다 나이가 어려도 대부(大父)라고 해야 되니 때로는 어색하고 불편할 때도 있다.

초등학교 다니던 어린 시절이 생각난다. 그날 선생님이 가정환경 조사를 하고 주민등록에 기록된 생년월일을 정리하다가 나를 부르시더니 "아니, 이렇게 어린 나이에 학교에 입학했니?" 하셨다. 두 살이나 줄어든 내 나이 때문이다. 여덟 살에 1학년 입학하는 친구들이 대부분인데 나는 여섯 살에 입학한 셈이다. 그때 우리나라는 의술이 발달하지 못했던 시기인지라 홍역을 앓다가 죽는 경우가 많았다. 태어난 아이가 홍역을 앓고 살아나야 비로소 면사무소 호적계에 부탁하여 이름을 실었다. 출생신고를 한 아이가 병으로 죽으면 곧바로 사망 신고를 해야 하는 번거로움이 종종 생겼기 때문이다. 아버지는 홍역을 앓고 난 나를 2년 늦게 호적에 올리셨다.

"야! 너는 우리보고 형이라고 불러야 해 두 살이나 어리잖아."

"아니야, 아버지가 호적에 이름을 늦게 올려서 그런 거야"

나는 애써 변명을 늘어놓곤 했다. 나이로 인해 어린 시절 친구들에게 꽤 놀림을 받았다. 아버지 때문에 이렇게 괴롭힘을 당하는구나 생각하며 원망도 했다. 빨리 세월이 흘러 어른이 되고 싶은 마음이 강렬했다. 어른이 되어서 당당하게 살아가리라 다짐하면서 말이다.

호적나이가 적어서 좋은 점도 있었다. 중학교 입학시험을 볼 때와 장학금 혜택을 받은 경우다. 동점이거나 같은 성적일 때는 생년월일이 늦은 자가 우선 부여받는 제도가 있어서 혜택을 보았다. 어리다는 이유로 혜택을 받았을 때, 나는 정말 기뻤다. 그런가 하면 직장에서 승진을 하는 경우 나이 제한에 부딪혀 늦어진 적도 있었다. 주위 동기생들은 부장을 하는데 나는 그 밑에서 일해야 하는 서러움도 겪었다.

여섯 살이나 적은 아내를 만나 반평생을 살아오는 동안 내 나이는 고무줄 나이가 되었다. 남에게 말할 때는 주민등록상의 나이로 줄여서 말하고, 시골 동창생들과 만나면 두 살을 늘려서 말하게 되는 거다. 아내는 "당신 진짜 나이가 몇 살인 거요? 진짜 나이로 통일해서 말해요." 한다. 그러면 나는 호적에 적혀 있는 것이 진짜 나이라고 대답하며, 당신과 세 살 차이밖에 나지 않는다고 박박 우겨 댄다. 그렇다고 흘러간 세월의 나이를 어찌 속일 수 있을까. 조금이라도 젊어지고 싶은 욕망만 커질 뿐이다.

직장 생활을 하는 동안 세월이 흘러 친구들이 하나둘씩 퇴직을 했다. 일반직장은 대부분 50대 후반에, 교직에 있던 친구들은 62세에 함으로써 조금 늦게 퇴직을 한다. 한번은 대학동창회 모임에서 식사를 하던 중 언제 퇴직하냐고 한 친구가 물었다. 2년 후에 한다고 그랬더니 어떻게 된 거냐며 의아해 한다. 백수가 된 친구들이 부러운 눈초리로 나를 다시 본다. 동기 친구들보다 2년 더 직장 생활을 할 수 있으니 얼마나 감사한 일인가. 어쩌면 미래를 바라보는 혜안이 아버지께 있었던 것일까? 놀림당하며 서러워 원망했던 마음이 다시 감사한 마음으로 돌아선다. 이렇게 변덕스러운 마음이 내 속에 있을 줄 몰랐다.

주위 사람들이 나이에 비해 얼굴이 동안이라고 하면 왠지 어깨가 으쓱해지고, 거울 앞에 서서 머리를 한 번 더 매만지게 된다. 아직도 쓸만한가? 팔뚝을 오므리며 근육을 자랑스럽게 드러내 보이지만 가냘프기만 하다. 아내가 바느질을 하려고 실과 바늘을 갖고 와서 바늘귀를 꿰어 달란다. 전등 불빛 아래에서 꿰어보려고 해도 바늘구멍이 희미하다. 돋보기를 쓰고 한참 동안 손끝으로 씨름을 해야 겨우 해낸다. 계단을 오르거나 방바닥에 앉았다가 일어나려면 나도 모르게 "아이구 다리야!" 하는 소리를 한다. 무릎 관절이 몸의 무게를 지탱하며 일으켜 세우는데 힘이 부치기 때문이다. 마음은 청춘이나 팔다리 근육은 노인 행세를 하고 있다. 세월의 나이는 속일 수 없는 모양이다. 청년 같다는 말을 듣고 싶은 것은 지나친 과욕에 불과하다. 어린 시절에는 나이가 들어 보인다고 할 때 좋았지만, 이제는 젊어 보인다고 할 때 기분이 더 좋다.

옛날 회갑잔치를 하면 동네 사람들이 오래 살았다고 축하를 했다. 그러나 백세 시대를 맞는 요즈음은 실버의 삶을 걱정하고, 새로운 인생 2막의 생애 설계를 하며 살아야 한다. 황혼의 여정이 아름다운 자가 진정 행복한 사람이다.

세월의 무정함은 검은 머리카락을 반백으로 만들었다. 고무줄 나이로 살아온 세월의 여백이 아쉬움을 남긴다. 나이는 숫자에 불과하다는 말이 꼭 맞다.

아리수 소묘 素描

　백련차에 꽃잎이 떠 있다. 입 안에 연꽃향기를 가득 머금으니 코끝에도 여름이 온다. 멀리 굽이도는 강줄기가 보이고, 사공의 구성진 노랫가락 따라 금수강산은 수채화로 물들인다. 연잎 차를 뜨거운 물에 담그고 죽마고우와 팔각정에 앉아 정이 흘러넘치는 이야기를 꽃피운다. 북한강과 남한강이 팔당호에서 연리지로 만나 한강으로 흘러 서해로 간다. 유유히 흐르는 한강의 젖줄이 자랑스럽다. 한강의 옛 이름 아리수는 석기시대부터 대한민국 삶의 터전이었으며 한반도의 심장부를 이루는 강이다. 사람과 물자가 이동하는 대동맥 역할을 하며, 큰 강물의 범람으로 땅이 기름져 농사가 시절 따라 풍년이 들고, 중국과 가까워 문물교류를 할 수 있는 관문이기도 했다.

　한강 8경 중 제1경으로 아름답고 멋진 곳이 두물머리다. 파아란 하늘에 둥실 떠가는 뭉게구름이 강물 속에 여울져있다. 남북이 철조망으로 가로막혀 잃어버린 부모 형제를 그리며 눈물 흘리던 세월이 그 얼마인가! 어머니는 살아 계신지, 누이동생은 지금 어디에 살고 있는가. 목이 메어 불러보는 실향민의 애달픔이 남한강 줄기를 타고 두물머리로 들어온다. 헤어지는 이별의 눈물을 행주치마로 훔치며, 꼭 다시 만나자고 손 흔들던 북한강 물줄기도 소용돌이치며 이곳에 와서 잠시 머문다. 남녀노소 모두가 태극기를 들고 방방곡곡 골목길마다 대한민국 만세를 부르며 소리치던 함성소리가 만남의 광장으로 달려오는 듯하다. 손잡고 흘러가는 한강물은 말없이 굽이쳐 흐르고 또 흘러가고 있다.

연꽃이 피는 세미원은 살아생전에 꼭 한번은 와서 보아야 한다는 관광명소로 꼽힌다. 세미원 안으로 들어가기 전 세진대에서 마음을 가다듬으며, 세상의 먼지를 털어내고 손을 씻는다. 불이문(不二門)을 바라보니 '하늘과 땅', '너와 나', '자연과 사람'이 둘이면서 하나라는 의미를 담은 태극문양이 보인다. 사람은 자연에서 태어나 자연으로 돌아가고 본질은 다르지 않다는 뜻이다. 수련은 홍련지와 백련지에 가득하고, 수생식물 중에서 가장 화려한 꽃을 피운다. 첫날은 희게, 둘째 날은 분홍색으로, 마지막 날 만개하여 3일 동안만 피는 빅토리아 수련은 세미원의 자랑거리 중 하나다.

송백정 앞에는 구부러진 소나무 하나가 덩그러니 서 있고, 소나무와 잣나무를 그린 세한도가 걸려 있다. 추사 김정희가 제자 이상적에게 그려준 거다. "겨울이 되어서야 소나무와 잣나무가 시들지 않음을 알았다"는 우선시상(藕船是賞)과 스승과 제자사이 "오랜 세월이 지나도 서로 잊지 말자"는 비밀스러운 언약으로 장무상망(長毋相忘)이라는 인장을 찍어 놓았다. 이 세상을 사는 동안 나에게도 이런 친구가 있다는 것은 얼마나 든든한 일이겠는가!

어릴 때 개울가에서 동네 아이들과 목욕을 하며 물장구치던 시절이 생각난다. 더운 날이면 망태기 들고 꼴을 베어 담고는 옷을 훌훌 벗어 던진 채 물속으로 텀벙 뛰어들었다. 물속이 얼마나 깊은지 거꾸로 물구나무를 서서 손을 닿아보려고 하면 꼬맹이 계집애들은 킥킥거리고 웃음보를 터트린다. 무엇이 보였나 보다. 풀 섶에 손을 넣어 물고기를 움켜잡고 신이 나서 소리치며 즐거워했던 그 저녁은, 시간 가는 줄 몰랐다. 물은 친구요 추억의 고향이요 시원한 생명수이다.

해바라기 꽃 피는 여름날이면 물안개 춤추는 강 언덕에서 젊은 연인들의 속삭임이 쌓여가고, 사랑의 노래가 익어갔다. 만산에 단풍이 들고 낙엽이 흩날리던 가을밤엔 이별의 슬픔에 잠긴 여인의 흐느낌이 서녘 하늘을 나는 기러기의 애간장을 태우기도 했다. 옛날 양수리의 나루터는 남한강 최상류의 물길이 있는 충북 단양과, 강원도 정선 그리고 물길의 종착지인 마포나루, 서울 뚝섬을 이어주던 마지막 정착지라서 매우 번성하였던 곳이다. 빗방울로 떨어진 것들이 모이고 합쳐져서 강물이 되고 거대한 힘으로 강줄기를 따라 도도히 흐른다. 물은 순리를 지키며 웅덩이를 가득 채운 후 흘러간다. 흘러가다가 산과 바위를 만나는 어려움이 있을 땐 돌아갈 줄 아는 여유도 있다. 우리네 인생의 삶도 순리대로 돌아갈 줄 아는 물과 같이 살수는 없을까?

"봄, 여름, 가을, 겨울
임을 싣고 사랑 싣고 아리수 아라리오.
첫사랑 묻어놓은 그날 그 자리
그리우면 돌아오세요."

노래가 정겹게 들려온다. 두물머리 말죽거리에서 시원한 막걸리 한잔으로 목을 축였다. 빈 나룻배에 세워진 황포돛대만이 노을 따라 흐느낀다. 물이 있음에 내가 있고 내가 있는 곳에 물이 있어, 아리수 나그네는 더불어 살아가는 감동의 눈물에 젖는다.

* **백련차** : 연꽃은 성질이 따뜻하고 독이 없다. 마음을 안정시키고 몸을 가볍게 하여 얼굴을 늙지 않게 한다. 오래도록 마시면 인체의 온갖 병을 낫게 하고 몸을 좋게 한다. 특히 하혈을 멈추게 하고 피를 맑게 해주어 산모에게 좋다. 또한 몸의 지방을 분해하여 비만해소에 이롭다.-동의보감
* **아리수** : 아리수는 크다는 의미의 한국어 '아리'와 한자 '수(水)'를 결합한, 고구려 때 한강을 부르던 말
* **장무상망**(長毋相忘) : 오래오래 잊지말자.

쌍고개 길

집으로 가는 쌍고갯길은 사람이 죽어가며 소리쳐도 아무도 올 사람이 없는 무인지경이다. 나를 버리고 가시는 임이 십 리도 못가서 발병이 나 다시 돌아오기를 기다린다는 애틋함과 한이 맺힌 아리랑고개다. 하늘에 먹구름이 잔뜩 모이고 비가 오는 밤이면 이 고개에 머리를 풀어헤친 처녀 귀신이 나타난다는 사랑방 이야기를 듣고 자랐다. 장날엔 쌀 한 말과 계란 몇 줄을 팔아 생선과 과일을 사 오시는 어머니를 마중하러 고갯마루로 나간다. 눈깔 사탕하나 하나로라도 사오려나, 그 달콤한 사탕 맛을 그리며 엄마 오기를 기다리고 기다렸다.

중학교와 고등학교를 다니는 동안 나는 매일 십리 길을 걸어서 통학 기차를 타고 등교를 했다. 저녁이면 역에서 내려 또다시 십리를 걸어 고개를 넘는 것이 일상이었다. 장대비가 오는 캄캄한 밤 터벅터벅 걸어 쌍고개를 접어들게 되면 귀가 쭈뼛서고 긴장감으로 머리카락이 곤두선다. 빗물이 땅에 고여 있어, 걸음이 내디딜 때마다 저벅저벅 누군가 꼭 뒤 따라오는 것만 같아 가슴은 콩닥콩닥 뛰다 못해 세차게 요동을 친다. 등에는 식은땀이 흐르고 이마엔 빗물과 땀방울이 범벅이다. 신발과 교복이 흠뻑 젖어 생쥐처럼 되었다. 가방은 물이 배어 어깨를 더욱 축 처지게 만들었다. 마중 나온 어머니의 목소리가 들리면 그때서야 안도의 숨을 몰아쉰다. 구세주 만난 듯 반가웠다.

충북선 완행열차는 연착을 자주해서 통학생들의 귀가시간을 늦게 만들었다. 한 시간 이상 기차가 지연될 때도 많았다. 역내에서 기다리던 나는 저녁 시간이 길어지면 너무 배가 고팠다. 십 환이면 국화빵을 열 개를 사던 때였다. 가난한 시절 난 배고픔을 참고 또 참아야 했다. 연탄불 위에 있는 큰 가마솥에서 김이 모락모락 나는 찐빵집을 보면 입안에 침이 가득 고였다. 때로는 기차역광장의 수돗물로 허기진 배를 채우면 걸음을 걸을 때마다 뱃속에서 쭐렁쭐렁 흔들리는 소리가 나기도 했다.

늦은 밤 겨우 집에 들어오면 하루의 피로가 몰려왔고, 저녁밥을 먹은 후엔 피곤하여 책가방을 정리할 틈도 없이 잠자리에 들었다. 평소 예습과 복습을 할 시간은 꿈도 꾸지 못했다. 십리 길을 걸어가는 시간이 예습시간이고, 기차 안 좌석에 앉아 정리된 노트를 보며 시간을 쪼개어 복습할 수밖에 없었다.

그해 여름 집으로 돌아오는데 갑자기 소낙비가 쏟아지기 시작했다. 등굣길에는 날씨가 맑았기 때문에 우산을 챙기지 못해 난감하기 이를 데 없었다. 집으로 가는 길이 걱정이다. 역에서 내려 주위를 살펴보니 형과 누나들이 있는 집은 우산을 들고 마중을 나왔다. 하나둘씩 역을 떠나갔지만 나는 한 발자국도 내디딜 수 없어 진퇴

양난이다. 모자를 푹 눌러 쓰고 가방을 옆구리에 낀 채 비를 맞으며, 처량하게 걷고 또 걸었다. 속옷까지 축축이 젖어 드는 서러움과 북받치는 눈물을 삼켜야만 했다. 개울가 근처에 도달했을 때 어머니가 비닐우산을 하나 들고 건너오시는 모습이 보였다. 순간 반가움보다 원망이 앞섰다. 기왕 마중을 나오려면 비를 맞지 않도록 일찍 오실 것이지…. 뚜하니 혼자 걷는 아들의 모습을 물끄러미 바라보시던 어머니는 늦게 온 것이 미안했던지 아무런 말씀 없이 뒤를 따라오셨다. 농사일이 바빠서 그런 것일 터인데 속 좁고 철없는 내 마음이 정말 미웠다. 쌍고개를 넘어갈 때쯤 엄마 손을 꼬옥 잡고 "혼자서 걸어오게 해 미안해요" 했더니 어머니는 눈물을 글썽이셨다.

소나기 퍼붓던 그 길은 무섭고 속상했던 마음, 슬픔과 눈물에 젖고, 때로는 행복한 꿈을 꾸었던 추억들이 들어 있는 곳이다. 검은 먹구름이 몰려오고 천둥이 하늘을 진동하며, 번개로 어둠을 갈라 놓을 땐 지구의 종말을 맞는 기분이었다. 거센 비바람이 휘몰아치면 우산살이 부러져 날아가 버렸고, 하늘에서 떨어지는 물줄기를 피할 수 없었다. 고된 삶의 문턱에서 시련과 고난의 날들이 언제 또 다가올지 모른다. 소낙비처럼 눈물과 아픔이 쏟아지기 전에 행복의 우산을 잘 준비해야겠다는 다짐을 하곤 했다.

비가 내린 고갯길은 더욱 단단히 다져지고, 비갠 하늘은 맑은 호수처럼 빛났다. 캄캄한 밤이 오면 낮에 볼 수 없던 수많은 별들이 반짝인다. 휘영청 달이 떠오르는 밤이면 마음껏 꿈의 나래를 펼치며 걸었다. 대학에 진학하여 좋은 직장에 취업하는 꿈, 예쁜 반려자와 만나서 행복한 가정을 이루는 생각, 멋있는 집을 지어 친지들과 음식을 나누는 모습을 꿈꾸며 걷는 길이었다. 마음을 다잡던 그 길은 결코 무섭거나 두렵지 않은 시간이었다.

기쁘고 행복한 삶의 노래가 바람 타고 들려왔고, 희망이 부풀어 꿈꾸며 고개를 넘을 때는 양탄자를 타고 하늘을 나는 손오공처럼 나만의 세계가 상상의 나래를 펼쳤다. 하루 종일 배고픔도 잊고, 땀방울이 옷에 흠씬 젖어도 기분 좋은 것은 찬란하게 비쳐오는 미래를 향한 꿈이 있었기 때문이다.

돌이켜보니, 쌍고개 언덕길을 오르내리며 품었던 꿈들이 다 이루어졌다. 내 삶의 길에 고난과 시련의 소낙비가 내릴 때 의지와 믿음이 더욱 견고해져 인생의 버팀목이 만들어진 것이다. 그 길은 내게 꿈을 꾸게 하고, 꿈을 이루게 해준 고마운 길이다. 비갠 오후 쌍무지개가 하늘 저편, 일곱가지 색깔로 팡파르를 울리면 내 맘엔 평화의 강물이 넘쳐흐른다.

동명이인 同名異人

    나는 누구인가. 인생의 강은 어디서 와서 어디로 가는 걸까. 필리핀 선교지를 방문하고 봉사활동을 가는 여정에서 있었던 일이다. 부부 동반으로 떠난 비행기는 필리핀 공항에 도착하였고, 입국 심사대에 줄을 지어 있었다. 사람들은 여권에 도장을 받고 들어갔고, 아내도 걸어 나간 후 내 차례를 기다리고 서 있었다. 드디어 내 차례가 됐다.

    심사대 위에 여권을 올려놓고 기다리고 있는데 심사원이 "NO!" 하는 것이다. 이유를 물어보았더니 블랙리스트에 내 이름이 있기 때문에 입국을 허락할 수 없다는 거다. 내 이름과 동명인 자가 필리핀에서 문제를 일으키고 떠난 사람이란다. 동명이인이라고 설명하자 컴퓨터 화면을 보여주었다. 그런데 이게 웬일인가! 영명(英明)과 생년월일까지 똑같은 것이다. 세상에 이럴 수가 있을까? 입이 다물어지지 않는다. 필리핀 방문이 처음인데 어떻게 된 것이냐 반문해 보았지만, 소용이 없었다. 한국에는 나와 같은 이름을 가진 사람이 많으니 사진을 보자고 했다. 아쉽게도 명단위에는 사진이 없었다. 같은 날 태어난 쌍둥이도 아닌데 어찌 된 일인지 막막하기만 했다. 한국에는 주민등록번호가 있으니 확인해볼 것을 요청하였으나 뒷번호 기록이 되어있지 않았다. 그것은 우리나라에서만 사용되는 것일 뿐이다. 함께 간 사람들은 빨리 들어오라고 손짓하는데 발을 동동 구르며 어찌할 수가 없었다. 결국 나는 날아갔던 그 비행기를 타고 다시 한국으로 되돌아왔다.

선량한 국민이 동명이인(同名異人)이라는 이유만으로 오해를 사서 피해를 보는 억울함을 겪지 않게 해야겠다는 생각이 들었다. 이런 억울한 사실을 기록하여 외교부와 통일부에 보냈다. 필리핀 외교부에 사진과 주민등록번호를 기록하게 하여 구별할 수 있게 해달라고 이의를 제기했다. 일주일 후 연락이 왔다. 이것은 그 나라 주권이기 때문에 한국에서 간섭할 수 없다고 한다. 블랙리스트의 그 사람은 통일교 사람으로 문제를 일으키고 출국하였는데 캐나다와 동남아시아 몇 개 나라에서도 비슷한 잘못을 하여 추방당했다고 한다. 이름은 같으나 사람이 다름을 증명할 수 있는 방법이 없다니 너무나도 답답한 일이다 진짜와 가짜 사이를 오가며 불확실성에 얼마나 당황하였던가. 진실과 거짓을 구별하고 확인할 수 있는 지혜가 필요했다.

서울 전화번호 책을 들춰 보았더니 나와 같은 이름이 3페이지가 넘는다. 아주 흔한 이름이다. 주소와 나이, 성별과 얼굴 특징으로 구별이 가능하지만 이름만 가지고는 분간하기가 여간 어려운 것이 아니다. 더구나 생일까지 같게 기록된 일을 당했으니 이를 어쩌란 말인가. 여권의 이름을 바꾸어 보려고 재발급 신청을 해보았다.

그러나 한번 발급된 영명 이름은 글자를 변경할 수가 없다고 한다. 충북 교육계에도 살펴보니 같은 이름이 일곱 명이나 되었다. 우리나라에서는 소속과 직위, 한자와 주민등록번호로 구별이 가능하지만, 이러한 자료가 없는 필리핀 입국장에는 어떻게 해야 될 것인지 답답하기만 했다. 필리핀에서는 동명이인일 경우 여권번호로 범죄자를 구별하지 못하고 있다. 블랙리스트로 등재된 사람은 입국이 거부되는 사례가 많다는 것이다. 이제 그가 다녀간 나라를 다시 입국할 수 없다는 억울함에 허탈했다.

아버지가 죽음의 자리에서 살아나셨던 경험담이 생각난다. 6.25 시절 인민군이 각 면에 사는 사람들을 모아 놓고는 한 사람씩 불러내서 총살하는데, 아버지 이름이 불리어 나갔다. 어느 동네 사람이냐고 묻더란다. 절체절명의 숨 막히는 순간이다. 천만 다행히도 같은 이름이 다른 동네에도 있었던 것을 확인하여 살아나게 되었다. 삶과 죽음의 길에서 진정한 정체성이 얼마나 중요했던가.

반평생 걸어온 교육여정의 정년퇴임을 앞둔 겨울이었다. 과학리멤버팀이 오로라를 보기 위해 캐나다 옐로우나이프를 가자고 한다. 흔쾌히 승낙을 하고 비자를 신청했다. 동행자들은 비자를 발급받았는데 주인공인 나의 비자가 나오질 않는 것이다. 함께 못 가면 이번 여행이 김빠진 맥주처럼 얼마나 허망할 것인가 잠이 오지 않았다. '혹시 또 그 사람 때문인가?' 의문이 들었다. 그동안 북미 유럽과 호주 등 외국에 다녀온 증빙자료를 다시 보내며 심사를 요청했다. 하루 전날 비자가 발급되어 함께 여행을 갔다. 천상의 아름다운 쇼를 보면서 감사의 노래를 불렀다.

귀국한 후 내가 범죄자가 아님을 증명하고 싶었다. 하여 한국주

재 필리핀대사관에서 '비동일인증명서'를 발급받고 필리핀에 입국했다. 그리고 필리핀대사관에서 열 손가락 지문을 찍고, 부모 이름까지 기록한 신원조회를 받은 후 무범죄자임을 증명하는 필리핀 NBI 증명서를 발급받았다. 20년 만에 동명이인의 오명을 떨쳐버리는 기쁨은 하늘을 날아갈 것만 같았다. 진정한 행복이란 객관적인 조건에 있는 것이 아니다. 가장 작은 것으로도 만족하는 사람이 행복한 자다. 어떻게 살아야 나의 존재와 정체성을 찾을 수 있는가. 같음과 다름에 대한 다림줄을 깊이 사색하며 내 안의 속사람을 찾아보았다.

두꺼비 마을

이른 아침 '산남 방죽' 수면 위로 작은 안개구름들이 학처럼 너울 너울 날개를 편다. 설중매는 추운 겨울의 터널을 지나 참고 참아냈던 그리움으로 꽃봉오리를 터트리고 꽃을 피운다. 노랑나비 짝을 지어 꽃마다 봄소식 전하며 긴 빨대로 꿀을 찾는다. 보슬비가 떨어지는 물방울 소리에 잠자던 소금쟁이가 깨어나 미끄러지듯 묘기를 뽐내고 있다. 물위를 사뿐사뿐 걷는 모습이 서커스단의 광대 같다. 남동풍이 물 냄새를 싣고 구룡산 마루를 넘어서면 긴 겨울잠을 자던 두꺼비도 몸을 흔들며 눈을 뜬다.

두꺼비는 남동풍이 실고 오는 물 냄새를 맡고 방죽이 자리 잡고 있는 방향을 알고 내려온다. 따뜻한 3월이 오면 짝을 짓고 산란하기 위해 수백 마리가 숲속을 떠나 호숫가를 찾아오는 긴 여행길은 그리 만만치 않다.

암컷은 산골짜기 나뭇잎들이 쌓인 거친 길과 돌작밭을 넘어야 했고, 비탈길을 내려오는 동안 등에 업힌 수컷의 무게까지 감당해야 한다. 도로를 건너갈 때는 더욱 위험하다. 때로는 행인들의 발에 밟히기도 하고, 지나가던 자동차에 치어 죽을 뻔하는 위험천만한 이동을 한다. 마침내 어머니 품속 같은 방죽에 몸을 담그고는 실타래처럼 긴 띠의 주머니 속에 새끼들을 담아 풀 섶에 걸쳐 놓는다. 수온이 올라가는 따스한 봄날, 알집 속에 있는 영양물질을 먹고 자란 새끼들은 꼬리를 흔들며 헤엄쳐 나온다. 작은 올챙이들은 해캄이나 이끼를 먹고 자라나 성체가 되고, 낙엽이 떨어져 썩은 부토 속에 사는 지렁이도 찾아 먹는다. 갈라진 혀로 파리와 모기를 잡아먹고 시침을 뚝 떼는 모습이 꽤나 우스꽝스럽다.

야행성이라 주로 밤에 이동하며 뒷다리가 짧아 네다리로 어슬렁어슬렁 건달처럼 걷는다. 개구리는 울음주머니가 있어 소프라노로 울지만 울음주머니가 없는 두꺼비는 목에서 바리톤 소리를 낸다. 우리나라 양서류 중 가장 큰 동물로 수컷은 끄억 꺼억 꺽꺼르 하며 산란기에 암컷을 부른다. 오뉴월 장마철이 되면 맹꽁이는 번식을 위해 땅속에서 나와 습지, 연못, 물웅덩이 등에 모여 집중적으로 운다. 수컷이 맹~ 하고 울면 암컷이 꽁 하고 대답을 한다. 열무김치 담그고 보리타작하는 여름밤, 짝을 찾는 아름다운 사랑의 울음은 처녀들을 기다리는 총각의 심사를 흔들어 잠 못 이루게 한다.

북서풍이 불어오는 소낙비가 내리면 어미두꺼비는 자란 새끼들을 보면서 또다시 한시름 걱정을 한다. 겨울잠을 자야 할 산으로 돌아가야 하는 길이 험난하기 때문이다. 비바람이 부는 날 방죽을 떠나 뒷산 7부 능선을 향한다. 두꺼비는 사람처럼 서서 동서남북을 볼 수 없어 산 능선을 타고 내려오는 찬바람 줄기를 타고 역으로 올라가는 것이다. 가시덤불을 지나 자갈밭 길을 걸어야하고, 산

비탈 황톳길을 기어 올라갈 땐 미끄러져 내려오기를 수도 없이 반복한다. 새끼를 등에 업고 사투를 벌이는 어미의 긴 귀향길 행렬을 보고 있노라면, 죽을 힘을 다해 제 새끼를 돌보는 모성애의 절정을 느낀다. 우리 주변에 가끔 들려오는 생명경시풍조 소식과는 너무도 대조적이다.

두꺼비는 발바닥에 혹들이 달려 있어 산기슭을 올라가는데 미끄러지지 않고 잘 기어 올라갈 수 있다. 피부샘에서 나오는 독은 자신을 보호하는 무기다. 수컷의 앞발에는 혼인돌기가 있어 짝짓기를 하기 위해 암컷을 끌어안을 때 사용한다.

사람들은 큰 눈망울을 이리저리 뒹굴리고 앉아 있는 복 두꺼비를 보며 좋아한다. 낙엽과 비슷한 보호색으로 암갈색을 띠고 있다. 혹여 꿈속에라도 나타나면 귀한 태몽이라 반가워했고, 결혼하는 젊은이에게는 덕담으로 떡두꺼비 같은 아들을 낳으라고도 한다. 코흘리개 아이들은 "두껍아 두껍아 헌집 줄게 새집 다오" 하며 모래밭에 손을 넣고 두드리며 노래를 불렀다.

두꺼비는 복과 금전을 가져 온다고 하여 많은 사람들이 좋아한다. 시집온 새댁이 임신을 하고 두꺼비 꿈을 꾸면 훌륭한 자식을 낳는다는 징조로 생각했다. 특히 사업을 하는 사람들은 재물과 먹을 것이 줄줄이 들어온다 하여 희망을 일구었다. 두꺼비가 집안으로 들어오면 자손이 잘되고, 경사스러운 일들이 생겨나서 크게 성공한다는 행운의 기대감에 부풀기도 했다. 하여 집안에 금두꺼비를 만들어 놓고, 경제적으로 풍족해지며 부모님이 장수하기를 바랐다.

두꺼비가 사는 방죽 주변을 주택지로 개발한다는 계획이 발표되었을 때, 생태환경보전을 중요시하고 두꺼비를 사랑하는 사람들이 모였다. 어디에서 함께 살아가야 하는가를 염려해서다. 그 문제를 해결하고자 궁리 끝에 통로를 만들어 주자고 했다. 물이 흐를 수 있는 수로를 만들어 함께 어울려 살아가는 생태마을을 조성하자고 했다. 그러나 아파트 단지가 들어선 후로 두꺼비는 이곳으로 돌아오지 못했다. 아파트 숲으로 인해 북서풍과 남서풍 바람 길의 방향이 막히고 바뀌었기 때문이다. 통로 보다는 서식처를 옮겨주어야 했다. 사람의 눈으로 보지 않고 두꺼비의 입장으로 보는 지혜가 있었다면 얼마나 좋았을까.

위에서 보는 세상이 아니라 거꾸로 보는 세상이 우리를 더욱 행복하게 만들 수 있지 않을까? 부자와 권력을 가진 자의 눈높이로 세상을 바라보고 판단하기보다는 가난하고 아파하는 사람, 외롭고 약한 사람들의 마음을 보듬는 훈훈함이 가득하기를 바래본다. 녹음이 우거지는 오월이 오면 코흘리개 아이들은 길과 방향을 잃고 돌아오지 못하는 두꺼비를 보고 싶어 한다. 지금도 동네 아이들과 어른들은 두꺼비 소리를 듣고 싶어 기타를 치고 오카리나를 분다.

회색빛 도시

    동토의 땅! 러시아 블라디보스톡, 그곳은 어떤 나라일까? 한번 쯤 가보고 싶었던 곳이다. 마침 학술교류연구 기회가 있어 지도교수와 함께 가게 되었다. 청주공항에서 직항 비행기가 있어서 약 두 시간 정도 동해를 비행하여 부동항의 대표적인 블라디보스톡에 갔다. 겨우내 눈이 많이 오고 영하 30도 이하로 내려간다는 말에 긴장이 된다. 서로 다른 이념 때문에 갈 수 없던 곳이었는데 이제 잠시 뒤 그 땅을 밟을 것이다.

    작고 아담한 공항에 내려 입국절차를 기다리는데, 영화에서나 볼 법한 군복차림의 잘 생긴 사람이 도장을 찍어 주었다. 코스텐코 연구원이 마중을 나왔고, 끝없이 펼쳐지는 설원을 달려 그분의 집에 도착했다. 아파트 초인종을 누르고 문을 여는데 3중 문이다. 출입문과 안쪽 바리게이트형 자바라 문을 열고, 또 미닫이문을 열어야 들어간다. 이곳에는 집시들이 많아서 문단속을 철저히 하지 않으면 밤손님들이 온다고 한다. 하루 동안 쌓인 피곤함을 풀었다.

아침에 일어나 벽에 붙어 있는 온도계를 보니 영하 50도다. 식탁에는 연어구이와 마카로니, 버터에 볶은 쌀을 익힌 밥과 오이피클이 접시에 담겨있다. 된장찌개, 김치, 고추장을 먹던 나에게는 다소 생소한 느낌이 들었다. 기름기 있는 밥을 포크로 뜨니 절반은 포크 사이로 빠져나와 먹기에 참 불편했다. 숟가락과 젓가락을 사용하는 우리 민족의 지혜를 새삼 느꼈다. 식사 후 코스텡코는 큰 유리잔에 보드카를 따라 벌컥벌컥 마셨다. 그들은 40도 이상의 독한 술을 마신다. 아마도 추운 나라에서 체온을 높이는 방법 중 하나일 것이라 생각했다.

방한 스키복을 입은 후 두꺼운 양말을 신고 털 부츠의 끈을 단단히 묶었다. 연구소로 가기 위해 기차역으로 가는 동안 콧김과 입김이 눈썹과 옷깃에 하얗게 얼어붙었다. 기차가 기적소리를 내며 달려왔다. 승객들은 대부분 두꺼운 밍크 계통의 털옷에 털모자를 썼고, 표정이 굳은 얼굴이다. 꽉 다문 입술, 조용한 침묵 속에 흐르는 차가운 냉기에 숨이 막히는 듯 했다. 코는 오똑 서고 눈은 크며 하얀 피부에 황금빛 머릿결을 가진 백러시아 여인이 앞에 있었다. 우리 아이들 어릴 적 가지고 놀던 금발 머리 인형이 거기 앉아 있는 거다. 영화 속 주인공이 툭 튀어 나와 내 앞에 앉아 있는 듯 아름다웠다. 붉으스레한 두 볼이 술을 먹어서 그런 줄 알았다. 자세히 살펴보니, 얼굴 피부에 체온을 높이려고 혈액이 활발하게 움직이는 모세혈관이 보였다. 음악과 발레의 전통을 자랑하는 나라여서 성악을 공부하는 학생들의 발성 연습 소리가 간간이 들려오기도 했다.

그동안 설치류의 종 분화와 계통분류 연구를 했고, 매년 학술 심포지움을 교환해 열었다. 동아시아의 대륙 이동에 따른 생물의 지리적 격리와 종 특이성 관계를 설치류 형태와 DNA 분석을 통해 알아보기 위해 연구소로 향했다.

건물 안에 100년 이상 되는 설치류 표본자료들이 즐비하게 소장되어 있는 것을 보고 깜짝 놀랐다. 우리는 5년 정도만 지나면 버리기 때문에 다음 사람이 연구하고 싶어도 자료가 없어 어려움을 겪는다. 우리나라가 노벨상을 타기 위해서는 이러한 깊이와 넓이를 키울 수 있는 기초과학의 발전정책과 정부의 적극적인 예산 지원이 필요하다는 생각이 들었다.

점심시간에 동료 연구실을 찾아갔다. 옥수수와 고기, 감자를 삶은 스프를 먹으면서 대화를 했다. 앞좌석 여자 연구원이 신은 털실로 짠 스타킹을 보았는데 낡아서 구멍이 났다. 내가 가지고 간 초코파이와 얇은 밴드스타킹을 선물로 주었더니 너무 좋아서 땡큐를 열 번은 한다. 밥을 먹으면 잘 살고, 옥수수와 감자를 먹으면 못사는 것 같은 고정 관념이 있었다. 생물학적으로 탄수화물임에 차이가 없는데 말이다. 우리가 더 잘 살고 있는 것 같아 어깨가 조금 으쓱해졌다.

시내 공원 옆 아파트를 보니 회색빛 벽면에 200년 전에 건축한 년도가 새겨져 있었다. 건축 실력이 뛰어나기도 하지만 전통을 기록하고 보존하는 그들의 문화의식이 남달라 보였다. 러시아는 같은 나라 안에서도 11시간 시차가 날 정도로 땅이 넓고, 엄청난 천연자원을 가진 나라다. 궂은 날씨 탓에 겉보기에는 척박하고 황량해 보이지만 세계 최대 수준의 석유와 천연가스 생산국이다. 끝없이 달리는 평원의 광활함은 어깨를 누르고, 머리를 묵직하게 만들었다. 대륙의 힘이 강하게 느껴졌다.

돌아갈 곳이 있어서 행복하다. 어렴풋이 잠에서 깨어나 비행기 창밖을 보니 어둡고 빛바랜 건물의 회색빛 도시를 떠나, 화려하게 빛나는 청주시의 야경이 눈앞에 보인다. 보기만 해도 포근하고 정 다움이 드는 것은 고국 땅의 온기다. 활주로에 사뿐히 착륙하는 순 간 안전하게 도착했다는 안도감이 밀려왔다. 우리나라 땅이 이리 좋은 줄 예전엔 미처 몰랐다. 회색빛 도시여 안녕.

잃어버린 핸드백

산과 들에 연두빛 새싹이 뾰족이 돋아나는 봄이다. 겨우내 꽁꽁 얼었던 땅속 얼음들이 눈 녹듯 녹아내린다. 버스정류장에 잠시 버스 한 대가 발 앞에 섰다. 버스 안에는 조용히 핸드폰과 대화를 나누고 있는 모습과 재미있게 수다를 떨며 웃는 사람들이 보인다. 짧은 스커트에 베이지색 자켓을 걸친 한 아가씨가 핸드백을 들고 내린다. 순간 미소 천사의 여인이 떠오르며, 잃어버렸던 핸드백 추억이 주마등처럼 스쳐갔다.

크리스마스이브 날 저녁, 나는 그녀에게 I LOVE YOU IN CHRIST!. 프러포즈를 했다. 고개를 숙인 채 홍조 띤 얼굴로 환하게 웃는다. 반쪽은 너무 외롭다며 빨리 하나가 되자고 약속했다. 식목일 날, 나무도 심고 우리 사랑도 심자며 결혼 날짜를 잡았다. 결혼 예물과 살림살이는 최대한 간단히 하기로 했다. 내겐 당신이 가장 큰 선물이기에 그 이상의 혼수는 필요하지 않다고 했다. 아내는 정말로 밥그릇과 수저 두 벌만 가지고 왔다. 이런 당당함은 40여 년이 지난 요즈음 신부들에게서 조차도 쉽게 찾기 어려울 것이다.

　결혼식 당일 해프닝은 지금도 잊을 수가 없다. 사회자의 "신랑 입장"하는 소리에 당당하게 어깨를 편 채 박수 소리를 들으며 걸어 나갔다. 순백의 드레스를 입은 신부는 장인어른의 손을 잡고 웨딩 마치에 발맞춰 나온다. 내게로 오는 천사였다. 주례자의 긴 설교와 기도시간 동안 부동자세로 서 있었다. 너무 힘들어 다리가 후들거리며 쥐가 날 정도다. 평생 변치 말고 사랑하며 살자는 약속의 반지와 시계를 주고받았다. 가족과 친척, 친구들과 함께 사진 촬영을 한 후 하객들에게 인사를 하러 식당으로 갔다. 그런데 아뿔싸! 잔치 음식이 부족하다는 거다. 동아리 후배들 백여 명이 L.T.C훈련을 마치고 우르르 몰려와서 점심을 먹고 간 후 잔치음식이 동이 났다. 배고픈 시절 청년들이 얼마나 맛있게 먹었으랴마는 주례자가 먹어야 할 음식까지 다 해치웠다는 말에 황당하기 그지없었다. 돌이켜 생각해 보면 '그땐 그랬지.' 하며 헛웃음이 절로 나온다.

　신혼여행은 제주도행 비행기 표를 예약해 놓았다. 서울에서 내려온 새색시의 친구들과 상당산성, 우암산, 약수터를 구경하며 즐겁게 뒤풀이를 한 후 헤어졌다. 그 밤 호텔에 들어가서야 아내의 핸드백이 없어졌다는 사실을 알았다. 신부는 가방을 언제 어디에 두었는지 전혀 생각나지 않는 모양이다. 핸드백 속에는 비행기 티켓, 결혼예물, 현금, 신분증 등 중요한 것들이 들어 있었다. 즐겁고 기쁜 날 안 좋은 일이 생긴 것이다. 얼굴 표정은 어두워지고 볼은 잔뜩 부어 퉁명스러운 대화로 서운한 마음을 표현했다. 소중한 것을 잘 관리하지 못한 실수를 나무라면서도 몹시 속이 상했고, 갈등으로 밤잠을 이룰 수가 없었다. 은근히 부화가 치밀었지만, 결혼식

날부터 니 탓 내 탓 싸울 순 없어 참을 수밖에 없었다. 신혼여행을 포기 하고 싶은 생각까지 들었다. 그러나 일생에 한 번밖에 없는 소중한 기회를 놓치면 후회할 것만 같다. 돈은 다시 벌면 되지만, 이 시간은 다시 돌아오지 않을 것이기 때문이다.

김포공항에서 비행기 표를 새로 발권하여 출국장에서 티켓을 건네주었다. 심사원이 신분증을 보잔다. 신부의 신분증이 없다. 핸드백을 잃어버린 이야기와 결혼식 순서지를 보여 주며 말했다.

"이 사람이 제 신부입니다."

"이 사람이 그 사람인지 어떻게 알 수 있나요?"

공항 심사원이 반문을 한다. 할 말을 잃고 멍하니 서 있을 뿐이었다. 신분증이 없을 때 나(我)라는 존재는 무엇으로 확인하고 증명할 수 있을 것인지 뼈아프게 느낀 체험이다. 그동안 네가 누구냐? 물으면 누구아빠, 누구엄마, 어떤 사람 등으로 표현해오지 않았던가. 소크라테스의 너 자신을 알라 한 말이 이토록 가슴 깊이 새겨질 줄은 예전엔 미처 몰랐다. 어렵게 탑승 허락을 받고 제주에 도착하여 용두암, 천지연폭포, 한라산, 박물관 등 관광지를 돌며 사진을 찍었다. 돌아와 사진 현상을 해 보니 사진마다 얼굴이 딱딱하게 굳어진 표정들이다. 즐거운 신혼여행이 아니라 무거운 여행이 되고 만 것이다.

신혼집으로 돌아와 서너 달이 지난 어느 날, 우리는 고향으로 가려고 육거리 버스정류장에 서 있었다. 그때 시내버스 안에서 여자 한 분이 급히 내려와 인사를 한다. 신부 미용실에서 일하는 미용사였다.

"어휴 반가워요! 사모님 가방이 저희 미용실에 있어요. 연락이 오기를 기다렸지요. 이제야 돌려드릴 수 있군요"

결혼식이 끝난 후 드레스를 벗고 한복 옷으로 갈아입을 때, 미용실에 핸드백을 놓은 채 나온 것을 기억하지 못했다. 현금과 패물이들어 있었는데 어떻게 그리 쉽게 되돌아올 수 있단 말인가. 정말고맙고 놀라운 일이다. 어쩌면 그분도 마음에 갈등은 있었으리라.미용사의 선한 선택이 우리에게 기쁨을 맛보게 했고, 가슴을 따뜻하게 적셔주었다. 핸드백을 돌려받고 나오는 길에 반드시 찾을 수있을 것이라던 아내의 긍정적인 말이 가슴에 여울져 들려왔다. 만약 그때 신혼여행을 가지 않았더라면 얼마나 후회되고, 속 좁은 남편으로 오래 기억되었을까? 사랑은 성내지 아니하고 오래 참는 것임을 새삼 깨닫게 된 젊은 날의 추상(追想)이다.

붕어는 왜
눈뜨고 자나요?

잠자는 공주는 예쁘다. 눈을 감고 새록새록 잠든 아기는 천사보다 아름답다. 어두운 밤이 오면 들과 숲 속에 사는 새들이 보금자리에서 잠자고, 호롱불 밑에서 이불 위에서 뒹굴던 장난꾸러기도 고요히 꿈나라로 향한다. 엄마 소를 찾으며 음메! 하는 외양간의 송아지도 큰 눈망울을 덮은 채 깊은 밤을 보낸다. 앞산의 참나무와 소나무도 잠들고 풀벌레마저 밤을 이기지 못하며 고요히 잠든다. 잠은 평화의 안식처요 행복의 침대요 사랑이 꿈꾸는 동산이다.

점심시간이 지난 봄날, 오후 수업시간은 학생들이 춘곤증에 못 이겨 졸음이 쏟아진다. 가르치는 선생님도 나른한 눈을 속일 수 없다. 양팔로 턱을 괴고 봄잠이 든 학생은 연신 고개를 끄덕이며 인사를 하고, 입가에 고인 침이 외출을 한다. 그때다, 한 학생이 손을 번쩍 들고 "선생님 질문 있어요." 한다. 학급의 모든 학생들이 깜짝 놀라서 졸린 눈을 비비고 놀란 토끼처럼 주위를 살핀다. 사실 나도 반쯤 감긴 눈을 크게 떴다.

"음, 질문 해보세요"

"붕어는 왜 눈 뜨고 자나요?"

하고 소리치는 거다. 순간 모든 학생들이 한바탕 웃으며 배꼽을 잡는다. 심각한 질문이리라 기대했는데 너무도 우스꽝스런 질문이 아니던가. 킥킥거리며 웃다가 눈물이 나고, 박장대소하는 바람에 교실 안에 새로운 분위기를 연출하게 되었다.

"그래? 학생은 눈 뜨고 자는 붕어 봤어?"

"네, 우리 집 어항 속 금붕어는 눈 뜨고 자요"

한다. 수업내용과는 전혀 관계없는 질문이다. 그것도 고등학교 여학생 수준의 질문이라기보다는 오히려 초등학생다운 것이다. 입가에 실 웃음이 나오는 것을 꾹 참았다. 나를 진지하게 바라보며 묻는 학생에게 실망을 안겨주지 않기 위해서다.

"붕어는요 눈꺼풀이 없어요. 졸려도 눈을 감을 수 없어요."

했더니 또다시 웃음바다가 터졌다. 고개를 떨어뜨리고 쑥스럽다는 듯이 머리를 긁적거리던 모습이 한동안 내 맘속에 남았다.

인문계 고등학생들은 대학입시에 치열한 경쟁을 하며 밤낮 구별이 없을 정도로 공부를 해야만 한다. 야간 자율학습은 밤 열시까지 불야성을 이룬다. 교실마다 영어단어 암기와 수학문제 풀기에 여념이 없다. 곁눈질 할 겨를조차 없다. 성적이 하위인 학생은 인생의 낙오자가 된 듯 기를 펴지 못했고, 집안에서는 부모님으로 부터 대우를 받지 못한다. 공부를 잘하여 성적이 우수한 학생은 어깨에 힘이 들어가고, 집안에서는 인물이 나왔다고 무척이나 좋아라했다. 눈꺼풀이 있어도 잠을 못자는 여학생보다 눈꺼풀 없이 잠을 잘 자는 금붕어가 훨씬 행복해 보였다.

사회에서 죄를 짓고 경찰서에 끌려가면 사건의 실마리를 풀기 위해 심문을 받는다. 사건 사실을 자백받기 위해 육체적 고통을 주는 방법으로 잠을 못 자게 한다는 이야기를 들었다. 일제강점기 때 잠을 못 자게 하는 고문으로 사람을 눕혀 놓고 천장에서 작은 물방울이 얼굴 미간에 떨어지게 했다고 한다. 처음엔 물방울이 가볍게 느껴지지만 시간이 흐를수록 큰 바위 덩어리가 떨어지는 것 같은 충격으로 느낀다. 밤잠을 이루지 못하고, 고통 속에서 결국 비밀을 토로하고야 만다는 것이다. 어항 속 금붕어는 눈을 뜨고 어떻게 잠을 잘 수 있을까?

사람이 죽었을 때, 염을 하는 분은 마지막 눈을 감겨주는 일을 한다. 한이 맺히고 분이 난 사람은 할 말을 다 하지 못해 눈을 감지 못한다고 한다. 우리 마음속에 원한을 맺는 일을 하지 않았는가 돌아본다. 해가 지기 전 용서를 빌어야 하기 때문이다. 땅에서 매면 하늘에서도 매이고 땅에서 풀면 하늘에서도 풀린다고 한다. 요람에서 무덤까지 행복한 잠을 자려면 이 땅에서 맺은 매듭은 반드시 풀어야 한다. 이 밤이 지나기 전 우리 사이 얽힌 담들을 허물어버리고, 눈뜬 금붕어가 자는 것처럼 실컷 잠들어 보고 싶다.

날씨가 궂고 찬바람이 부는 날에는 손칼국수가 더욱 생각난다.

어머니의 구수한 손맛과 푸근한 사랑이 그리워서다.

어머니는 자식이 배고플까봐 늘 고봉밥으로 퍼 주었다.

밥그릇에 한 주걱 더 퍼 올려놓는 애틋한 사랑이다.

오랜 세월 지나 할아버지가 된 마음자락엔

아직도 진한 향수처럼 자리를 잡고 있다.

오늘도 손칼국수 집을 향하는 나의 발걸음은 멈출 수가 없다.

가을

어머니의 노래

　인생의 강은 어디서부터 흘러 어디로 가는 것일까? 아버지는 일찍이 부모님을 잃고 혼자 되셨기에, 친척 집 일을 해주고 품삯을 받아 머슴처럼 생활하셨다. 가난하게 살던 아버지는 어머니를 만나 동네잔치 끝에, 더불어 결혼식을 올렸고, 친척 집 사랑채를 빌려 신혼살림을 시작했다. 가난의 설움이 고추보다 맵고 얼음 밭 보다 차가웠다. 어머니는 행주치마로 눈물 훔치며, 봄, 여름, 가을, 겨울을 지내야만 했다. 하늘은 무심하지 않았던지 조금씩 모은 쌀과 쌈짓돈으로 밭을 사고, 농사지은 것은 안 쓰고 안 먹으며 남긴 곡식들을 팔아 또 논을 샀다.

　농사일이 그리 만만치는 않다. 봄이 오면 논과 밭을 쟁기로 갈고 씨를 뿌리고, 수없이 돋아나는 풀과 전쟁을 해야 한다. 호미로 풀을 뽑고, 밭 두덩이의 겉흙과 땅속의 흙을 뒤집어 놓아야 한다. 하루 종일 김매는 작업을 하고 나면, 허리가 아픈 것은 물론이요 다리는 오금이 저려 온다. 해가 중천에 떠오를 즈음 멀리서 어머니가 새참을 준비하여 광주리에 이고 오신다. 밭둑에 걸터앉아 기다리고 있노라면 대접에 된장국 한 그릇과 밥 한 사발을 퍼주셨다. 땀 흘리며 일한 탓인지 마파람에 게눈 감추 듯 먹었다. 시원한 물 한 대접을 벌컥벌컥 마시고 나니 온몸이 나른해지고 졸음이 쏟아진다. 그때 어디선가 흥얼거리는 어머니의 노래 소리가 들렸다.

"어떤 놈은 팔자가 좋아 대궐 같은 집에서 사는데,

이놈의 팔자는 달달 볶아야만 사나, 아리랑 아리랑 아라리요~"

물끄러미 바라보시던 아버지는

"저놈의 예편네 또 지랄이야."

하시며 뒷짐을 지고는 물고를 보러 논으로 가신다.

보리가 누렇게 익어 타작을 할 때는 마당에 돌 절구통을 옆으로 뉘어 놓는다. 머리에 수건을 질끈 동여매고 단단한 밧줄로 보릿단을 엮어서 둘러메고는 절구통에 힘차게 내리치며 이삭을 떨군다. 그 순간 꺼끌꺼끌한 보리 수염이 목과 등속으로 들어오면 얼마나 따갑고 깔끄러운지 모른다. 한쪽에선 도리깨로 떨어진 이삭들을 두드려 낱알로 만들었다.

"우리 님은 언제 오나, 어야 어야 어허야,

얼씨구 절씨구 지화자 좋다. 어야 어야 어허야"

장단 맞춘 노래로 한 여름날을 엮어갔다. 콩도 털고 팥도 그렇게 털었다. 힘든 일에 지쳐서 마루에 앉아 쉬고 있을 때 부엌에 계셨던 어머니가 막걸리 한 사발과 두부찌개를 내오셨다. 막걸리를 쭉 들이키고 안주 한 숟가락 떠서 입에 넣으면 오장육부가 시원하다. 뙤약볕에서 고추를 따서 지붕 위에 올려놓고 비닐을 덮어 말리면 홍고추가 만들어진다. 오일장에 가서 물고추를 파는 것보다 값을 제대로 받을 수 있어 좋았다. 그것들은 살림살이를 늘여가는 종잣돈이 되었다.

어머니는 3남 1녀 자식을 키우며 알뜰살뜰 살림살이를 일구어 가셨다. 사는 재미가 생겼지만 적은 농사 거리로는 살기가 여간 힘든 것이 아니어서 궁리 끝에 보따리 장사를 하셨다. 살고 있는 동네에서는 창피하다며 멀리 떨어져 있는 마을을 찾아다니셨다. 고개를 넘고 시냇물도 건너야 갈 수 있었고, 점심때가 되어 배가 고파도 밥 한 끼 얻어먹기가 힘들어 굶기도 많이 하셨다. 아이들과 처녀 총각이 입을 수 있는 옷과 옷감이 들은 보따리를 머리에 이고 이집 저집 다니며 팔았는데, 시골에서는 현금이 없으니 쌀이나 콩, 보리 등으로 값을 쳐 받았다. 곡식 자루를 머리에 이고 이 마을 저 마을 돌아 집에 올 때면, 고개를 들 수 없을 정도로 무거웠다. 쌀자루와 잡곡자루의 무게가 머리와 목 어깨를 눌렀고, 짐을 떨어뜨리지 않으려고 잡은 손은 떨어져 나갈 듯 아팠다. 머릿속은 땀방울로 흠씬 젖었고, 뜨거운 김이 올라와 그 아픔에 눈물이 고였다.

"나는 어찌하여 이렇게 박복한 팔자를 갖고 태어나 살아야 하는가. 옆집에 할망구는 북망산천으로 잘도 데려가는데 염라대왕 사자는 왜 날 데려가지 않는 고!"

어머니는 개울둑에 두 다리를 펴고 앉아 삶의 고달픔에 북받쳐 오르는 설움을 구성진 목소리로 또 신세타령을 해댄다. 이 안타까움을 등 너머로 바라보던 큰아들이 가끔 마중 나가 지게로 짐을 져 오기도 했다.

뒷간에 모아둔 잡곡과 농사지은 쌀들을 여러 해 동안 함께 모았고, 땅을 살 때면 마당에 쌀가마로 가득했다. 그날 밤 땅을 샀다며 기쁘고 뿌듯해서 얼싸안고 우시던 부모님의 모습은 지금도 눈에 선하다. 겨울에는 헌 옷과 양말을 바느질로 기웠다. 코끝에 돋보기를 걸친 채 장화홍련전 심청전을 읽으며 외로움을 달랬고, 최진사와 암행어사가 된 친구의 이야기를 밤 깊도록 들려주시기도 했다. 시련이 연단을 낳고 연단이 인내를 낳는다는 삶의 지혜를 가르쳐 주신 것이다.

막내아들 태몽은 한 편의 드라마같이 너무도 선명하여 잊을 수 없다며 팔베개를 한 채 소설 같은 꿈 이야기를 때마다 들려주고는 "이놈은 어떤 어려움이 있어도 꼭 가르쳐야 해"

중얼거리셨다. 그 후 힘든 보따리 장사를 접고, 광주리를 이고 시장에서 야채를 팔아 학비를 마련했다. 그해 겨울 사범대학 입학시험 치른 후 합격자 수험번호를 라디오로 발표하던 밤, 온 집안 식구들은 박수를 치면서 기뻐했다. 아들이 과거급제라도 한 것처럼 어머니가 말없이 흐느껴 우시던 눈물의 노래는 지금도 잊을 수가 없다.

큰형님은 서울에서 사업을 하셨다. "너의 엄마 잘 모시거라" 한 아버지의 유언을 지키려 그토록 어렵게 장만한 시골 땅을 모두 팔고, 어머니를 서울로 모셔갔다. 떠나는 날 어머니는 호미 자루로 땅을 치며 한나절을 우셨다. 안 먹고, 안 입고 모아서 산 땅. 정들고 정들어서 눈을 감고서라도 찾아갈 수 있는 곳, 거름 주고 씨를 뿌렸던 내 사랑 논과 밭이었기에, 어머니의 슬픔이 더욱 가슴 북받쳐 온 것이다. 울면서 곡하듯이 노래하시는 모습이 무척 애처로웠다.

낙엽이 우수수 떨어지는 가을, 큰집에 사시던 어머니가 우리 집에 오셨다. 팔다리 근육이 말라 걸음걸이가 힘이 없고, 부축을 해야만 할 정도로 편찮아 지셨다. 따뜻한 밥과 곰국을 끓여 아침 식사를 나누는데 "고맙다 막내 덕에 맛있게 먹었다" 인사를 하신다. 아내는 집 지을 터를 사라고 했지만, 난 넓은 전답을 장만했다. 황금 물결로 출렁거리는 벼 이삭을 보여 드리며, 서럽게 울며 떠났던 어머니의 한을 풀어드리고 싶었기 때문이다. 겨우내 얼었던 땅이 녹고, 따스한 봄바람이 불어오는 날. 어머님을 모시고 우리 논을 보여 드렸다.

"참 좋구나!"

입가엔 엷은 미소를 띄우고, 눈시울을 적신다. 잃어버린 30년 세월 회한의 노래를 또 흥얼거리셨다. 집으로 돌아오는 길목에선 무척이나 행복해하셨다.

감기 몸살을 심하게 앓고 난 후 여러 달 침대에 누워계시던 어머니는 함박눈이 쏟아지는 날 세상을 떠나셨다. 이듬해 어머니 모신 복으로 달뜨는 동네 어귀에 있는 땅을 샀고, 순례자가 쉼을 얻고 가는 필그림하우스 전원주택을 지었다. 비타민 손주들이 할머니 하부지 하며 달려오는 자연 놀이터다. "달 달 무슨 달 쟁반같이 둥근달" 앞 잔디밭에 뛰놀고 노래 부르며 땅 밟기를 한다. 가끔 삶이 힘들고 지칠 때는 서문시장과 육거리시장의 채소 난전을 찾는다. 어머니가 거기 앉아 계신 것 같아 발길을 멈춘다. 할머니들이 파는 호박잎과 골파 한 단, 열무와 콩나물을 사서 들고 올 땐 가슴이 따뜻해진다. 어머니의 눈물이 내 마음에 흐르고 어머니의 노래가 내 가슴속에 머무른다.

청갱이댁

　어머니의 이름은 무엇일까. 어머니의 색깔과 향기에 어떤 이름이 어울릴까? 사람들은 아이를 낳으면 세상을 보람 있고 뜻있게 살아가라고 이름을 지어준다. 또 그림을 그리고 시를 읊으며 살고자 하는 사람들은 아호를 갖는다. 향기에 취한 아름다운 여인이라는 취당, 푸른 봉우리처럼 살고 싶어 창봉이라 하고, 지혜로운 여인으로 살고 싶다하여 현당이라 짓고 제2의 이름을 부르기도 한다.

　나의 어머니는 유학자들이 많은 한씨 가문에서 딸로 태어났다. 남존여비 사상이 뿌리 깊게 자리 잡은 문중이다. 딸은 집안 살림을 잘하고 어른들을 공경하며 사는 것이 예의법도인 줄만 알고 자랐다. 학교는 문턱에도 가지 못하고 낫 놓고 기역자도 모르는 부엌 살림꾼으로 지냈다. 편지를 받아도 글을 읽을 줄 몰라 이장에게 부탁해서 내용을 전달 받아야만 의미를 알았다. 왜? 딸들을 천대하고 학교교육을 시키지 않았는지 이해할 수 없었다. 농경 사회에서는 일할 수 있는 사람이 많아야 노동력이 확보되어 농사를 잘 지을 수 있었다. 딸을 낳았다고 서운해 하며, 아들 낳았다고 좋아한 것은 농사일을 거드는 가족의 수가 늘어나기 때문이었을지도 모른다.

이웃집 아주머니들이 동네 사랑방으로 마실을 갈 때면, 우리 집에 들러서 "청갱이댁? 연풍댁 사랑방에 놀러 갑시다"한다. 대문을 열고 큰 소리로 부른다. 엄마의 이름이 청갱인 줄 알았다. 그 당시 어느 곳에서 시집을 왔는가에 따라 청안댁, 진천댁, 살미댁, 대구댁 등으로 불렀다. 성도 없고 가문도 없는 그늘진 이름이다.

큰 누님을 낳으시고 순남이라고 이름을 지었다. 아들이 태어나기를 바라는 간절한 마음이 담겨 있다. 그토록 사랑스런 딸이건만, 딸 낳았다고 뒷방에 밀어 놓고는 젖도 잘 주지 않았다니 기막힌 이야기다. 계집아이가 공부해서 무엇에 쓰느냐고 초등학교도 보내지 않았다. 어린 나이에 동생을 등에 업고 밥을 지으며, 부엌 청소하는 일을 도왔다. 여자라는 이유만으로 남몰래 겪는 서러움은 오롯이 어린 가슴에 담아두어야 했다.

아들선호사상이 깊숙이 자리 잡고 있어서 딸을 낳으면 천덕꾸러기가 되어 업신여김을 받았다. 딸 그만, 끝순, 말순으로 지어 부르기도 했다. 아들을 낳고 싶은 염원때문에 아들자(子)를 넣어 이름을 지어준 말자, 숙자, 순자, 미자, 영자 등도 참 많았다. 한 때"영자의 전성시대"영화가 회자되기도 했다. 내가 누구인가? 하는 첫 번째 부름은 이름이다. 인간의 존재와 가치를 부여해주고 있는 것이다. 그 속에는 평생 살아가야 할 철학이 담겨 있기 때문이다.

애지중지 키운 큰딸을 멀리 시집보내는 어머니의 가슴엔 한이 서렸다. 마음이 아리고 아파서 눈물로 밤을 지새우며, 정화수 떠 놓고 잘 살기만을 빌고 또 빌었다. 시집살이 맵다하여 귀머거리 삼

년, 벙어리 삼 년, 눈 봉사 삼 년으로 참고 참아내어 강산이 한번 변하거든 오거라 하며, 엄마와 누이가 두 손을 꼭 잡고 이별하던 장면은 지금도 잊을 수가 없다.

나는 아들이라는 이유로 가문을 지켜야 한다며 대학까지 공부를 시켰다. 얼마나 고맙고 감사한 일인가. 그러나 지금도 글씨를 제대로 쓰지 못하는 누님을 볼 때는 억장이 무너지는 아픔이 쌓인다. 누님은 흥이 넘치고, 이웃 사람들과 사교성이 뛰어나며 재능이 많았다. 어느 누군들 부모의 사랑을 받고 평화롭게 자라고 싶지 않았겠는가. 왜? 딸로 태어난 것이 죄스럽고, 그늘진 사람으로 살아가야만 했는지…. 하늘의 별을 보고 물어도 답이 없고, 구름 위를 떠가는 달에게 물어봐도 고요한 바람만 옷깃을 스칠 뿐이다.

내 아내는 딸을 셋이나 낳았다. 그토록 힘들게 사셨던 어머니는 쓰잘데기 없는 것들만 낳아 놓고 뭐가 좋다고 웃고 있냐며, 서슬이 퍼런 질책을 하셨다. 딸을 낳은 책임이 어찌 며느리에게 있단 말인가? 고시조에서는

"아버님 날 나으시고 어머님 날 기르시니 두 분 곳 아니시면

이 몸이 어찌 살까 하늘같은 어버이 은혜 무엇으로 감사 하오리"

라고 했다. 성의 결정권은 여자에게 있지 않고 남자에게 있다. 그것은 아버지의 X염색체와 만나면 딸이 되고, Y염색체와 만나면 아들이 되는 생명의 신비를 옛 선현들은 이미 알고 있었던 것 같다.

설 명절이 되면, 세 딸과 함께 어머니가 계시는 큰집에 갔다. 설날 아침 빨간 치마와 색동저고리를 입고, 할머니께 세배 드리라고 하면 두 손을 이마에 부친 채 다소곳이 앉으면서 예쁘게 절을 한다. 무릎 꿇고 앉으면 세뱃돈을 주신다. 그러고는 작은 목소리로

"저것들 다 쓰잘데기 없어." 하며 돌아앉는 거다. 방안에서 젖을 먹이던 아내가 늦둥이 아들을 안은 채 고개를 숙여 세배를 하면, "이제 대를 이을 놈이 있으니 나는 죽어도 여한이 없다." 빙긋이 웃으시며 세배 돈 만 원을 준다. 아직도 혈통의 계보를 중요시 여기는 족보에는 남자 이름을 올리지만, 여자 이름은 기록하지 않고 있다. 집으로 내려오는 차 안에서 세 딸은 볼이 잔뜩 부어있다.

"할머니는 나빠요! 왜 막내는 만 원을 주고,

우리는 천 원만 주는 거야! 할머니도 여자 아닌가?"

따져 묻는다. 이럴 땐 어떻게 설명해야 할지 전전긍긍했다. 대학 동창생들이 생물학을 전공한 너는 어떻게 딸만 낳느냐고 꽤나 놀렸었다. 그런데 세월이 변했다. 이제는 딸을 셋이라고 하면 "참 다복하시겠어요" 하며 부러워한다. 친구들 만남에서 아들만 셋이라고 누가 말하면 대부분 여자들이 안쓰러운 눈초리로 바라보며 "엄마가 꽤나 힘들고 외롭겠어요" 한다. 예식장 풍경도 달라졌다. 딸을 가진 부모는 사위를 얻었다고 싱글벙글 웃고, 아들 가진 엄마는 장가를 간다고 눈물 보이는 모습이 보인다. 친정과 화장실은 멀리 있어야 된다고 했지만, 요즈음은 가까울수록 더 좋다고 한다.

어머니는 꽃가마 타고 시집와서 검은 머리가 파뿌리 되도록 오로지 자식만을 위해 고생하며 살아오셨다. 허리는 굽고, 이마엔 세월의 깊은 주름 쌓인 채 검버섯 핀 손으로 지팡이를 짚고 걸어야만 했다. 이름도 없고 빛도 없이 살아가면서도 강물처럼 따뜻한 마음을 품고 지고지순한 사랑으로 우리를 키워온 어머니였다. 성품과 인격에 걸 맞는 이름이 불리워지면 얼마나 좋았을까? 오래전 세상을 떠난 지금도, 사람들은 나의 어머니를 청객이댁이라 부른다.

청남대 별장

봄비가 소리 없이 내린다. 수채화로 물든 산의 경치가 엄마 품처럼 아늑하다. 아침 물고기 사냥하는 청둥오리들의 모습이 정겹다. 저 멀리 긴 모래톱 위에서 낚시를 하는 강태공들의 여유로움도 보인다. 봉황새가 우는 별장을 지키고 서있는 듯 청남대 가는 길은 은행나무 가로수가 일렬종대 양옆으로 마중하고 있다. '피미'마을 숲길 따라 연두색 잎으로 단장한 버드나무 아래 흰옷을 입은 갈대숲도 봄맞이를 준비하고 있었다. 따뜻한 남쪽 작은 청와대가 보인다. 장군봉과 아름다운 호수로 둘러쌓여 가리어져 있지만 대통령 별장에서는 어느 방향으로든 산과 호수를 바라볼 수 있다. 금강의 젖줄로 상수원보호 구역으로, 오랜 세월 개발이 제한되어 이곳 주변은 청정 환경을 유지하고 있다.

우리나라 심장부에 위치한 청남대는 국가의 수장이 잠시 휴식을 취하며 국정을 구상하고 사색하는 장소였다. 한동안 1급 경호시설이라 일반인들이 접근하기 어려웠지만, 이제는 주민의 품으로 개

방해 많은 사람들이 방문하고, 역사의 뒤안길을 걸어볼 수 있다. 청와대처럼 청기와를 입힌 2층 본관 앞에서는 곧게 자란 적송이 산책길을 연다. 본관 정원에는 반송, 모과나무, 주목, 잣나무 등 정원수들이 우아한 자태를 뽐내고 있다. 이제는 모든 사람을 위한 국민의 별장이 된 것으로 이곳에서 내려다보는 대청호 전경은 으뜸이다.

　보슬비 내리는 아침 나뭇가지 끝에 크리스탈 보석으로 맺혀 있는 물방울은 더욱 아름답다. 임시정부를 만든 독립투사들의 동상들이 있는 길에는 낙우송이 곧게 자라 있고, 원추형의 기근들이 독립의 한을 울부짖듯 일어서 있다. 나라를 잃어버리면 국민도 없고 주권도 없다. 살아 있으나 자유가 없어 종과 노예처럼 생을 보내야 하는 슬픔을 참아내야만 했다. 조국을 떠나 이국땅에서 서러움과 탄식으로 망국의 한을 달래던 애국지사들의 고고한 자세는 흐트러짐이 전혀 없다. 우리나라는 10여 명의 대통령이 나왔지만 국민에게 추앙받는 대통령이 전무한 편이다. 대부분 퇴임 후의 말로가 비참하고 안타까운 길들을 걸어가서 백성의 존경과 사랑을 받지 못하고 있는 실정이다. 적폐청산이라는 이름으로 과거를 부정하고 없애려 하지만 역사의 수레는 반복하여 자가당착을 하는 아픔을 겪고 있다. 진정한 승리는 인내와 관용에서 나오는 거다. 원수는 죽여서 없애는 것이 아니라 마음에서 없애는 것이다. "나에게는 적이 없어져서 좋고 나는 그처럼 능력 있는 사람의 도움을 받아서 좋다."라고 한 링컨과 같은 지도력이 절실하다. 국민에 의한 국민을 위한 국민의 지도자는 영원히 사라지지 않을 것이다. 실패했다 해도 후회하지 않는 지도자, 자신이 내린 선택에 책임질 줄 아는 지도자, 그런 삶의 자세를 가져야 지도자의 삶이 떳떳해질 수 있다.

사람 사는 세상을 만들고 광복 50주년에 통일의 길을 염원했던 대통령의 동상이 산책길에 있다. 민중의 민주화 한을 풀고자 한 열망이 백발에 맺혀 있다. 닭 모가지를 비틀어도 새벽은 온다고 말한 분이다. 그렇다 닭 모가지를 비틀어도 봄은 오는 것이다. 조국통일이 우리의 소원이요 꿈에도 소원은 통일이라고 노래를 불렀다. 농민을 생각하면서 지은 초가정을 찾아 걷는 길에 황금빛이 나서 놀랐다. 웬일인가 자세히 살펴보니 소나무 송홧가루가 땅에 떨어져 황금색으로 보인 것이다. 이곳에서 바라본 대청호 모습은 한 폭의 동양화를 보는듯했다. 초가정은 대통령이 휴가를 즐기면서 연설문 원고를 정리하고 정책 구상을 했던 곳이다. "하늘을 따르는 자는 흥하고 하늘을 거역하는 자는 망한다고 했다." 하늘이 곧 국민이다.

우리나라 방탄소년의 노래가 빌보드챠트 1위를 하고, 영화와 드라마의 한류문화가 세계의 문화를 선도하고 있다. 백성이 현명하고 똑똑해야 한다. 그럴 때 정의사회, 민주가 꽃피는 세상. 사람이 사람답게 사는 세상을 오게 할 수 있는 것 아닐까? 나라가 건전해야 가난과 고통받는 사람들이 인간다운 삶을 보장받아 행복한 삶을 보내게 되고, 문화 예술이 꽃피어 기쁨을 누리게 되는 거다. 대통령은 헌법을 준수하고 국가를 보위하며 국민의 자유를 수호하겠다고 엄숙히 선서했다. 국민을 어리석은 백성이라 여기지 않고, 주인으로 섬기는 성군되어 이 땅을 다스리고, 태평성대 시대를 이끌어가기를 바라는 물 동그라미가 가슴 깊이 메아리쳐 온다.

시절인연 時節因緣

    소중한 것은 오래도록 곁에 두고 싶어 하는 것이 인지상정이다. 그것은 들에 핀 꽃일 수도 있고, 값이 비싼 보석이나 예술적 가치가 있는 명품 또는 사람일수도 있다. 아니면 예쁜 목소리로 노래하는 새와 어항 속에서 조용히 헤엄치는 물고기일지도 모른다. 그러나 세월이 흐르면 늙고 병들어 이 세상을 떠나거나 봄, 여름, 가을, 겨울이 가는 동안 만나고 헤어지는 시절인연이 된다. 만나면 헤어짐이 있고 헤어지면 또 다시 새로운 만남으로 이어지는 것이 인연이다.

    개울가에서 송사리, 붕어, 미꾸라지 잡으며, 어린 시절을 보내던 내 고향. 풀섶에 황소는 게으른 하품을 하고, 송아지는 엄마 품 그리워 음메 음메 어미를 찾는다. 해가 서산에 걸리고 짙은 노을이 숨넘어갈 듯 마을 느티나무아래 깔리면 두건 두른 어머니는 밥 짓느라 분주했다. 저녁안개가 마을 어귀마다 솜사탕 같이 드리우면, 마중 나온 삽살개는 꼬리 흔들며 개구쟁이들을 반갑게 맞는다. 그렇게 정든 고향이 요람의 시작이요 삶의 터전이고 엄마 품이다.

모두가 잊을 수 없는 그리움들이다. 어쩌다 고향을 찾아가면 양지바른 어머님 산소엔 파란 잔디만 보일 뿐 안기고 싶은 어머니 치마폭은 보이질 않는다. 자상했던 정과 고마웠던 마음이 생각나고 안타까움만 가슴에 남는다. 그저 자식 잘되기만을 바랐던 제단위에 눈물방울이 떨어진다. 따라가면 만날 수 있을까? 다시 돌아갈 수 없는 것에 대한 그리움은 영원한 노스텔지어다.

가슴 아픈 사랑의 인연은 어디 이뿐인가. 딸 둘을 낳은 후 아내가 임신을 했다. 가문의 대를 이을 아들을 바라는 어머니의 성화에 못 이겨 셋째를 가진 것이다. 그동안 입덧이 심하여 밥을 먹지 못했던 때와는 달리 음식을 잘 먹었다. 불룩 튀어나온 배는 두리 둥실하였고, 뱃속에서 발로 힘차게 밀어 움직이는 모습이 딸들과 사뭇 달랐다. 긴 태동을 하던 생명체는 세상 밖으로 나오려고 무던히도 아홉 달을 잘 기다렸다. 아기는 분만실에서 오랜 진통 끝에 순산을 했고, 뽀얀 배냇저고리를 입고 아기 포대에 싸인 채 엄마 품으로 안겼다. 얼굴은 달덩이 같이 잘 생겼고, 검은 눈동자와 선이 분명한 콧날은 장군감이었다.

그러나 아기는 엄마 젖꼭지를 잘 물지 못하고, 젖을 빨지도 않으며 시름시름 가늘게 울고 있었다. 입술이 점점 파랗게 변하였고 몸빛도 창백해져갔다. 담당 의사에게 물어 보았더니 심장에 이상이 있는 것 같다고 한다. 응급차를 불러 대전 심장 전문병원으로 이송했다. 고통스러워하는 아기는 두 손을 움켜잡고 힘없이 울며 입술만 오므리고 있었다. 산소 호흡기를 부착하고 이동하는데 무엇을 어떻게 해야 할지 안타깝고 답답하기만 했다. 아빠로서 아무것도 할 수 없는 무능함이 한스럽고, 이렇게 손을 놓고 지켜봐야만 하는 현실이 막막하기만 했다. 수십 번 병원 복도를 오가며 제발 살려달라는 기도 외엔 그 무엇도 할 수 없는 나약한 아버지였다. 아들은 태어난 지 꼭 일주일 만에 하늘나라로 갔다. 억장이 무너지는 슬픔을 가슴에 묻어두고 살아서는 부르지 못할 이름. 어쩌다 내게로 와서 짧은 만남, 긴 이별을 고하고 간 것이다. 말로 할 수 없는 보고픈 마음과 괴로운 맘을 밤하늘 별들에게 적어 보낼 수밖에 없었다.

힘들었던 마음을 다시 추스리고, 조용히 묵상하며 감사해야 할 이유들을 찾아보았다. 이 땅에서 오랜 동안 아파서 힘겹게 고생하지 않고 하늘나라로 갈 수 있어 감사하고, 험한 세상 죄짓지 않고 순결한 몸으로 하나님 품에 안긴 것에 대해 감사 했다. 삶의 경쟁 속에서 넘어지고 지치며, 슬픔을 맛보지 않고 이별할 수 있음이 또한 고마웠다. 짧은 만남으로도 사랑을 느낄 수 있어 행복했고, 이별 후 다시 만날 수 있다는 소망이 나에게 위안을 주었다. 가슴을 에일 듯 파고드는 귀여운 얼굴, 몹시도 그립고 목이 메어 울다가 서러워서 웃었다.

화려하게 웃음 지며 피어난 벚꽃들의 춤사위도 어느 날 비바람 불면, 땅에 떨어져 눈물짓는다. 길모퉁이에 핀 민들레, 냉이, 꽃다지가 잠시 피었다 시들어버려도 아무도 기억해주는 이가 없다. 무더운 여름날 우리를 괴롭히던 모기도 차가운 바람이 불면 어디론가 자취를 감추지만 아쉬워하는 사람이 없다. 모두가 스쳐가는 인연들이다. 우리 인생은 풀에 잠시 맺혀 있다 사라지는 이슬방울처럼 이 땅에서 덧없는 삶을 살고 가는지도 모른다. 가고 오는 인연은 그대로 두어야 하는가 보다.

나의 곁을 떠난 애틋한 만남들이 또 있다. 우리 집 삼형제는 명절에 만나면 살아온 고생보따리를 내려놓고 이야기꽃을 피운다. 서로 반가워 혈육의 정 나누며 밤새워 바둑을 두었다. "내 인생 고달파 운다고 누가 알아주겠는가. 내가 택한 인생길 즐겁게 살아보자" 했던 둘째 형님은 단풍으로 물든 가을날 뇌출혈로 말없이 한줌의 재만 남기고 떠났다. "우리 인생이 따뜻한 춘삼월 잠시 왔다 가는 봄날 같구나!" 하시며 큰형님도 흙으로 돌아가셨다. 형님들을 보내는 들녘에 하늬바람이 슬프고, 산 기슭을 내려오는 서녘 하늘의 보랏빛 노을이 슬펐다. 백 년도 못살면서 천년을 살 것처럼 열심히 살아 왔다. 이제 다시 세상으로 오지 못할 형님들을 생각하며, 또 얼마나 아파했던가. 잡지 못할 사람들로 떠나버린 너무도 그리운 인연들이다.

　내 생애 이토록 애달픈 인연의 날들이 또 다시 올 수 있을까? 운명은 거부할 수 없었다. 짧은 만남, 속절없는 사랑과 추억들이 가슴에 긴 여운으로 남는다. 아직도 그 순간들을 이별이라 부르고 싶지 않다. 그날이 오면 만나서 더욱 사랑하며 살 수 있을 테니까. 수많은 세월이 흘러가는 동안 울고 웃으며 정들어 왔다. 사랑함으로 만나고 끝없이 정을 주며 살다가 그리운 인연들로 남기고 싶은 미련이다. 그 속삭임들이 내 인생의 일기장 속에 시절 인연으로 쓰여지고, 또다시 만나고 싶고, 보고 싶은 그 사람들은 빛바랜 사진 속 추억으로 남는다.

우암산 산책

   청주는 배 모양의 도시에 돛대를 상징하는 철당간이 중앙에 우뚝 세워져 있다. 도심의 휴식처인 중앙공원에 오백년 세월을 견딘 은행나무가 역사의 증인으로 자리 잡고 서 있어, '청주목'의 오랜 이야기를 품고 있다. 피라미와 갈겨니들이 춤추는 무심천이 도심을 흐른다. 북에서 남쪽으로 길게 뻗쳐 내려간 우암산은 소가 누운 모습을 닮았다하여 '와우산' 이라고 부른다. 한반도의 중심인 충청도는 충주와 청주의 첫 글자를 따서 부른 이름이다. 충주 말씨는 우리나라 언어의 중심으로 표준말로 사용하고 있다. 양반의 예절이 살아있고, 인심이 넉넉한 청풍명월의 고장이다.

   '삼일공원' 뒤편 계단을 따라 우암산 숲 속으로 들어섰다. 아침 동트기 전 고즈넉한 숲길과 만나고, 거미줄에 이슬이 그대로 맺혀 있는 것으로 보아 첫 산행임을 느낀다. 등산을 하다 보면 아무도 내 앞에 간 사람이 없는, 내가 오늘의 첫 등산을 하는 사람이라는 것을 느낄 때 더욱 깊은 사색에 잠긴다.

멀리서 딱따구리가 보금자리를 만드느라 나무를 쪼아대는 소리는 숲속에 사는 새들의 단잠을 깨운다. "올라갈 때 못 본 그 꽃, 내려올 때 보았네"라는 시인의 글귀가 떠오른다. 우리 인생에서 옆도 뒤도 볼 겨를 없이 앞만 바라보며 바쁘게 살아온 발자취를 살펴보게 하고, 잠시 하늘을 보며 좌우를 살펴보는 느림의 여유를 생각했다.

우암산 '생태학습장'을 지나다보면, 노오란 꽃잎을 자랑하는 산수유와 생강나무도 봄맞이 인사를 하러 나왔고, 개나리도 방긋 웃고 서 있다. 산마늘, 패랭이꽃, 상사화 등 다양한 야생화들이 숨을 죽이며 꽃 피우고 있다. 구불구불한 산길을 걷다 팻말에 적혀 있는 글이 눈에 띄었다.

"쑥부쟁이와 구절초를 구별하지 못하는 너하고 이 들길 여태 걸어왔다니, 나는 지금부터 너하고 절교다!"

'무식한 놈' 이란 안도현 시의 시 구절인데, 참 재미있는 내용이다. 그것을 보고 가던 한 등산객이

"미친놈! 그걸 모른다고 친구를 저버리냐?"

한마디 내뱉고는 지나간다. 시인도, 시를 읽고 감상한 말을 내뱉고 가는 저 사람도 모두 재밌다. 그렇다. 우리가 모르고 살아왔던 것이 얼마나 많았던가. 생각해보니 나도 꽤나 무식한 놈이었던 것 같다.

생태학습장을 지나 당산 능선 길을 따라 내려오면 충북문화관을 만난다. 도지사관사로 사용하던 공간을 시민을 위해 문화공간으로 내놓은 곳이다. 그곳에는 충북의 근현대 작고 문인들의 발자취를 그려 놓았다. 총칼보다 무서운 붓의 힘을 본다. 뒤편 건물 2층에는 작가들이 마음껏 예술의 세계를 선보이는 전시회장이고, 1층엔

가끔 국악연주자들이 한국의 정을 소개하는 소극장이기도 한 방이 준비되어 있다. 대금과 소금으로 구성진 멜로디를 연주하면 장구가 장단을 맞춰 흥을 돋우고, 남도창의 노래가 꽃을 피우는 봄밤은 사랑하는 사람의 손을 잡은 듯 감미롭다.

오솔길을 휘돌아 내려가면 과학의 메카 '충북자연과학연구원'이 자리 잡고 있다. 불과 얼마 전까지 내가 근무하던 곳이다. 이곳은 많은 학생들이 자연의 원리와 법칙을 공부할 수 있게 만든 탐구의 장이다. 엄마의 손을 잡고 과학관을 찾아 왔던 어린아이가 선생님이 되어서도 과학연구를 끊임없이 해온 분이 있다. 그 선생님이 이곳에 와서 근무하며, 어린 학생들 가르치는 모습을 보았다. 전국과학대회에서 최고의 상을 휩쓸어 오게 한 저력이 이러한 바탕에서 생겼구나! 느끼는 순간, 가슴이 뭉클해진다.

청주 중심의 터 주성(舟城)은 새로운 도시 형성이 서쪽으로 진행되고 있어, 이제는 구도심이 되었다. 가난하고 빈약한 집들이 남아서 달동네가 된 수암골이 새로이 벽화마을로 자리 잡고 있다. 어느 날부터인지 담벼락에는 벽화가 그려지고 작은 마당에는 들꽃들로 화단을 이루고 있다. 제빵왕 김탁구, 카인과 아벨, 영광의 재인 영화 촬영지가 되어 인기를 끌면서 카페촌 관광지로 바뀌었다. 옛날 추억을 하나씩 꺼내 볼 수 있는 골목길은 걷는 재미가 있다. 살아왔던 과거의 아픔들이 간직된 골목이 고단한 삶의 짐을 내려놓고 마음을 달래보는 감성문화의 장소가 된 것이다. 수암골 벽화를 보며 그래, 우리는 특별한 존재야. 모두 행복하자는 생각이 가슴을 훈훈하게 했다.

우암산 산책길을 걸으며 새소리와 노래하고, 나무와 들풀과 속삭이는 시간이 무척이나 행복했다. 사랑하는 사람들과의 인사는 새 힘을 주는 활력소가 된다. 지난 가을에 떨어져 쌓인 낙엽들을 밟을 때, 바스락거리는 소리를 들으며 걷는 명상의 시간은 수필과 시상을 그려보는 시간이다. 산허리 숲길을 따라 걷고 있었다. 능선을 타고 등산객들이 두런두런 속삭이며 내려오는 모습들이 정겹게 보인다. 산 위에서 야호! 하는 소리가 메아리로 들리는가 싶더니 산 끝자락에서 젊은 청년들이 빠른 걸음으로 정상을 향해 올라가기도 한다.

길은 길로 연결되어 서로 이어지고, 동서남북 길에서 길로 통하는 법이다. 때로 한길이 막히면 모든 것을 잃어버린 것처럼 좌절하고 슬퍼하는 때가 많다. 삶에 지쳐서 울다가 가만히 살펴보면, 또 다른 길이 있음을 발견하여 소망의 빛으로 웃음을 찾는 경우가 얼마나 많았던가. 자연의 숲길에서 외눈박이 인생의 고단함을 벗어버리고, 여유롭게 사는 지혜의 행복을 맛본다.

바람난 남자

바람이 분다. 코끝으로 온몸으로 바람이 불어오는 것을 느낄 수 있고, 나뭇가지가 흔들리는 것을 보아서 안다. 바람은 만물을 요란하게 흔들면서 자신의 존재를 과시하고 잠시 머물다가 지나간다. 사람도 어떤 상황이나 누군가의 만남에 흔들리고 마음을 빼앗길 때가 있다. 결국 휘익 지나가기에 그걸 가리켜 바람이 났다고 하는가 보다.

내 안에도 바람이 분다. 몸과 마음으로 느끼는 정도를 넘어 혼까지 마구 흔든다. 이 바람은 나로 하여금 자나 깨나 설레게 하고 잠 못 이루게 하며 혼을 빼앗는다. 시원하고 상쾌한 하늬바람이나 세찬 비를 몰고 오는 마파람처럼 금방 지나갈 기세가 아니다. 최근 내안에 불어 닥친 이 현상을 바람이라고 표현하는 건, 평생 살아온 내 삶을 뒤집어 놓았기 때문이다.

충청도 시골에서 태어난 나는, 그 당시 모두가 그랬듯이 가난한 농부의 자녀로 고생하며 자랐다. 우리가 만나는 부모와 장소를 내

맘대로 선택할 수가 없다. 부모의 능력에 따라 가난한 삶과 고통을 겪기도 하고, 부유한 가정에서 태어나 여유 있는 생활을 누리며 사는 것도 제 복(福)이다. 누군들 잘사는 나라에서 태어나 행복하게 살고 싶지 않고, 부유한 가정에서 풍요로운 생활을 하며 즐기는 삶을 누리고 싶지 않을까.

잘 할 수 있는 재능이나 소질보다는 먹고 사는 문제가 우선이었고, 선택한 전공에 따라 직장을 잡아 틀에 박힌 생활을 하면서 반평생을 보냈다. 자연과학을 연구하며 세미나와 논문발표를 했고, 그것들을 학생들에게 가르치면서 이순을 훌쩍 넘겼다. 하나 더하기 하나는 둘이요 셋 곱하기 셋은 아홉이 되는 전형적인 삶을 살아왔다. 우물안 개구리의 사고를 벗어나지 못 했다. 1 더하기 1은 1이요 1에서 하나를 빼도 1이 되는 또 다른 삶의 방법이 있다는 것을 전혀 알지 못하고 살았던 거다.

40여 년 공직생활을 마친 후 화려한 백수가 되었을 때, 나도 모르게 아침이면 넥타이를 매고 구두를 신고 출근하려 한다. 습관의 힘이 몸으로 반응하는 것에 깜짝 놀랐다. 한동안 그렇게 반응하는 몸을 추스려야 하는 중노인의 모습에 씁쓸하기도 했다. 나의 속사람을 외면하고 가족을 위해 살아온 여정에서 눈을 떠보니 내게 새로운 세상이 다가왔다. 백세시대에 죽지 못해 사는 것이 아니라 살기 위해 오늘의 시간을 애써 살피며 누려야 한다. 이제 가벼운 운동화와 노타이로 외출하는 모습으로 바꾸고, 새로운 바람을 맞이해야만 한다.

어떤 바람을 피울까? 뒤 늦게 바람 한번 제대로 피워보고 싶다. 남은 인생 함께 사랑할 매·난·국·죽 사군자를 찾아갔다. 그런데로 허전한 마음을 어느 정도 채울 수 있었다. 이번에는 빛바랜 추억의 향수를 달래줄 이를 만나 보았다. 하모니카였다. 그 또한 하나의 의미가 되었을 뿐 지나가는 바람이었다. 그동안 그렇게 무던히도 해보고 싶었던 일들을 이곳저곳으로 찾아다녔지만 진정한 사랑을 만나지 못했다. 그러다가 진짜 된바람 한번 피우고 싶은 대상을 만났다. 사군자와 하모니카가 잠시 지나는 꽃바람이었다면, 이번에 만난 바람은 나를 뒤 흔드는 태풍 격이다.

평생 걸어온 발자취를 한 땀씩 엮어가도록 손잡아 줄 이는 문학이다. 내 마음을 어루만져 줄 그에게 그만 마음을 빼앗기고 말았다. 지난 날 취미로 생각했던 그 일들이 참으로 반갑고 즐거운 시간이 되었다. 시를 쓰며 노래를 부르고, 홀로 그림을 그려보는 문학과 예술에 취해 보는 것이다.

길을 걸으며 꽃과 나무를 보아도 대화가 통하는 이 놀라운 비밀을 그 누가 알까? 휘영청 달이 떠오르는 밤이면 가슴 설레는 연애가 시작된다. 아침이슬 방울에도 묵상이 되고, 비가 주룩주룩 내리면 창가에 앉아 어머니의 따뜻한 사랑을 그린다. 꿈을 꾸던 장면이 떠오르면 잠을 자다가도 벌떡 일어나 책상에 앉아 사랑에 빠진다. 지나온 긴 여정을 백지 위에 써 내려가다 혼자서 웃기도 하고 울기도 한다. 제 정신이 아닌 바람난 사람이다. 나는 지금 문학과 찐한 열애 중이다. 물로도 끌 수 없고 아무도 못 말리는 늦바람이 된통 걸렸다.

바람이 나면 옷매무새와 얼굴 모습이 달라진다. 초등학교 동창 모임에 갔더니 힐금힐금 쳐다보는 친구들의 눈초리가 예사스럽지가 않다.

"너 요즈음 이상하다 썸타니?"

"왜?"

"니 얼굴에 써 있어! 누굴까?"

모두 하하 웃는다. 돌아와 거울 앞에 앉아 얼굴을 보니 엷은 미소를 머금은 듯 기분이 좋은 사람 같기도 하고, 홍조를 띤 것이 마치 술 취한 사람 같기도 하다. 무거운 삶의 멍에를 벗어버리고 둥둥 북을 두드리며, 목청 높여 남도창 노래 부르는 신바람이 난 사람이다.

"님에서 점 하나를 찍으면 남이 되지만 남이라는 글자에서 점 하나를 빼면 님이 된다"는 말처럼 한순간 내 마음에 변화가 몰아쳐 사랑 할 수 있는 임을 만난 된바람이 난 것이다. 짜릿하게 다가온 가슴 설렌 사랑을 어떻게 지킬 수 있으랴. 마음이 떠나면 몸도 떠나게 마련이다. 아! 나는 이제 돌아올 수 없는 강을 건넜다. 이 사랑에 푹 빠져서 남은 생애를 그와 함께 살아보련다.

가슴 깊이 밀려오는 영감을 시로 표현하고, 삶의 솔직 담백한 글을 수필로 써 내려간다. 첫사랑에 설레어 잠 못 이루고 뜬눈으로 지새운 밤 가슴에 묻어둔 꿈이었다. 글 선생님이 사랑의 기쁨과 슬픔, 고독과 아픔을 마음으로 들려주며 문학세계에 눈을 뜨게 했다. 순수한 인생의 고백을 운율에 맞춰 노래하는 글 속에, 메타포를 그려 넣는 삶의 혜안을 가지게 한 것이다.

그날이 오면 향기 나는 꽃이 되어 꿈꾸는 아이들에게 소망의 편지를 쓰고, 슬퍼하는 사람들에겐 위로의 선물을 나르는 나룻배가 되고 싶다. 뒤늦게 글과 사랑에 빠져 허공을 춤추며 날갯짓하는 나는, 바람난 남자. 이 바람은 한동안 멈추지 않을 것만 같다.

감고을 장터

그해 가을, 영동교육청에 발령을 받았다. 고속도로를 달리다 보면 내비게이션이 옥천은 포도의 고장이라 소개하고, 영동은 과일의 고장이라고 소개한다. 옥천을 지나 영동으로 들어가는 길에는 감이 주황색 꽃으로 물들었다. 곳간에서 인심난다고 정이 넘치고 나눔이 넉넉한 고을이다. 가로수인 감나무에 감이 많이 달려도 누구 하나 따가는 사람이 없다. 일교차가 커서 가을에 익는 과일 맛이 유달리 맛있고 달콤하다. 또한 포도의 산지로도 유명하며, 그것으로 만든 포도주 축제가 해마다 열린다. 샤또마니와 샤또미소는 세계로 수출하기도 한다.

삼국시대 신라와 백제가 서로 교통하던 라제통문이 지금도 남아 있다. 낯선 사람에게는 쉽게 말문을 열지 않는 편이지만 한번 마음 문을 열면 모든 것을 다 내어 줄 정도로 인정이 많다.

아내와 함께 과일이 풍성한 영동의 가을 장터 구경을 했다. 아침부터 엿장사 목소리는 남다르게 크다. 찰그락 찰그락 가위 추임새와 함께 둘이 먹다가 하나 죽어도 모른다며 멋들어진 울릉도 호박엿 타령을 시작한다. '무지개 마차 다리'는 행인들의 발걸음이 바쁘고, 장터를 꾸밀 천막과 가마솥, 음식물과 바구니를 실은 경운기 엔진소리가 요란하다. 공영주차장에는 빨갛게 익은 사과와 말랑말랑하고 달콤한 곶감, 단단하게 익은 호두와 향긋한 냄새를 내는 표고버섯 등 온갖 과일들을 실은 용달차들이 밀려 들어온다. 중앙시장통은 가게 문을 여는 손길이 분주하다. 거리의 노점상 할머니들은 충청도, 전라도, 경상도가 맞나는 삼도봉 계곡에서 뜯은 각종 나물과 채소들을 펼쳐 놓는다.

채소 난전은 늘 인생 공부를 하는 곳이다. 처마 끝 한 평 정도 그늘이면 족하고, 건물주가 아니더라도 보자기 하나면 마당장터를 꾸릴 수 있어 좋다. 보따리 장터엔 산에서 나는 취나물, 고사리, 두릅순이 진열되고, 집에서 기른 콩나물, 숙주나물, 미나리가 가지런히 놓여 있다. 한 봉다리 사고 천 원을 주면 주름진 손으로 한 움큼 더 집어 얹어주는 인심이 마음을 훈훈하게 한다. 장사가 잘되면 쉽게 자리를 정리하여 떠날 수 있고, 설사 장사가 안 되더라도 크게 손해 보지 않아서 걱정거리가 되지 않는다. 광주리에 담은 것을 모두 팔아도 이만원 안팎일 텐데 하루 온종일 난전에 펼쳐 놓고 오가는 손님을 기다린다. 그러나 속치마 바지 주머니에 꼬깃꼬깃 넣어 둔 산나물 판돈을 셀 때는 천원의 행복이 가득하다. 어머니가 고들빼기 단을 만들어 시장에 내다 팔던 모습이 떠오른다. 호박잎, 콩나물, 미나리를 한 봉다리씩 샀다. 시장에서 채소를 살 때는 절대로 물건값을 깎지 않는 이유다.

점심때가 되면 사람들은 국밥집으로 몰린다. 밤새도록 소뼈를

고와서 뿌옇게 우려낸 사골국물에 내장과 머리고기를 듬뿍 넣는다. 간과 순대를 얹은 후 곱게 썬 파를 국물 위에 띄우면 감칠맛이 나는 장터국밥이 된다. 남녀노소 할 것 없이 줄을 지어 먹는다. 새우젓 국물과 다대기를 넣어 얼큰하게 먹는 사람들도 있다. 구수하고 따뜻한 국밥으로 허기진 배를 든든하게 채우고 나면, 콧노래가 절로 난다. 5일 장의 매력이다.

남정네들은 목이 텁텁하고 나른하여 춘곤증이 몰려올 무렵이면 대포집을 찾는다. 주인이 막걸리를 담은 항아리에 조롱박을 띄워놓고, 김치전 한 접시를 탁자로 가져왔다. 막걸리 한 사발을 쭉 들이켜며 입맛을 다시고는 빈대떡 한입 물으면 한시름이 떠나간다. 얼굴에는 얼큰하게 취기가 올라오고 입가엔 엷은 미소가 꽃을 피운다. 젓가락으로 탁자를 두드리며 목청껏 노래 부르는 모습은 억만장자가 부럽지 않은 듯하다. 이것 또한 장터의 풍류요, 삶의 흥이요, 고난과 시련의 한풀이기도 하다.

공영주차장 쪽에 꽹과리와 북소리가 요란하다. 각설이 패들이 진을 치고 춤바람을 벌인다.

"작년에 왔던 각설이가 죽지도 않고 또 왔네, 얼씨구씨구 들어간다 절씨구씨구 들어간다. 품바품바 잘도 논다."

노래와 함께 상모 위에 달린 긴 끈이 휘돌고, 팔을 벌린 채 몸을 좌우로 뒹군다. 각설이의 구수한 입담은 구경꾼들의 마음을 쏙 뺏어간다. 여장한 각설이가 옷을 벗을 땐 호기심이 발동하여 눈들에서 불이난다. 무지개 색깔로 입은 치마를 양파 벗기듯 벗었다. 속치마도 일곱 색깔이 나왔다. 숨을 죽이며 목젓에 꼴까닥 침 넘어가는 소리를 낸다. 그 다음 망사로 된 얇은 치마가 나오고 팬티가 보인다. 배꼽 빠지게 박장대소 하다가 눈물을 훔치는 아낙네들도 있다. 보고 싶은 본능의 욕망은 젊으나 늙으나 똑같은 모양이다.

국악의 고장이자 과일의 성지인 감나무골은 박연이 태어난 고장이다. 조선 초기 문신인 박연 선생은 고구려의 왕산악, 신라 우륵과 함께 우리나라 3대 악성으로 일컫는다. 이러한 박연 선생의 큰 뜻과 얼을 기리고 계승하기 위해 숭모제를 열고 있다. 백 살이 넘게 사신 어른에게 군수가 무릎을 꿇고 다과를 올리는 모습은 과연 충효의 고장답다. 다시 오고 싶은 넉넉한 마을 인심 좋은 곳, 봄부터 겨울까지 온갖 과일이 식탁에 오르면 이보다 향기로울 수는 없다.

감나무골 5일 장은 아랫마을과 윗마을 만남의 장소이고, 풍성한 먹거리 잔치가 펼쳐지는 삶의 터전이다. 고된 시련과 아픔을 이겨내고, 한 움큼의 인심이 더해지는 사랑의 나눔이 있다. 그 정이 오늘도 살아있다. 황금 물결이 넘실대는 들판, 누렇게 익은 벼 이삭들은 풍년을 노래한다. 가을 산에 주황색 단풍이 들고 감나무 가지 끝에 빨간 홍시가 매달리면, 고추잠자리는 하늘높이 나르며 춤춘다. 감나무골 월류봉에는 시골 여인이 그리운 님 보고 싶어 수줍은 얼굴 살짝 내밀 듯 둥근 보름달이 넘어간다. 금강 줄기가 굽이도는 회룡포엔 사공의 뱃노래가 가을밤을 물들인다.

청라 언덕

산들바람이 옷깃을 스치는 봄날 대구여행을 나섰다. 저녁노을이 붉게 흘러내리고 능수버들 가지들이 물속에 여울져 오는 풍경이 너무 아름답다. 수성 호숫가 호텔에 숙소를 정했다. 옥상 휴게소에는 테이블과 파라솔이 정렬되어 있어 앉아서 호숫가를 바라볼 수 있는 전망 좋은 곳이다. 청둥오리들이 떼를 지어 물가의 물고기를 사냥하고 기러기는 보금자리를 찾아 서녘 하늘을 날아간다. 부레옥잠 사이로 귀여운 청개구리가 짝을 지어 눈망울을 껌벅이는 모습이 정겹다. 땅거미가 지척에서 오고 있다. 작은 나뭇가지들도 하루의 쉼을 위해 호수 수면에 길게 그림자를 드리웠다. 긴 겨울잠에서 깨어난 새싹들은 두런두런 봄밤을 속삭인다.

이른 아침 커피 한 잔을 들고 대구 근대문화 골목 여행을 시작했다. 동산병원을 끼고 골목길을 조금만 오르면 청라언덕이다. 박태준(朴泰俊) 작곡, 이은상(李殷相) 작사 "동무 생각" 시비가 세워져 있어 가만히 살펴보았다. 발걸음을 멈추고

"봄의 교향악이 울려 퍼지는

청라언덕 위에 백합화 필 적에

나는 흰 나리꽃 향내 맡으며

너를 위해 노래 노래 부른다."

   학창시절 꽤나 흥얼대던 가곡을 불러보았다. 청라언덕과 같은 내 맘에 백합 같은 동무야 네가 내게서 피어날 적에 모든 슬픔이 사라진다. 생명이 움터오는 봄에 잘 어울리는 곡이다. 부드러운 멜로디가 사춘기 소년의 가슴처럼 울렁거리게 만든다. 작곡가의 옛 애인이 학창시절 짝사랑했던 동무 여학생이었다니 짜릿한 감정에 더욱 흥분되었다. "동무생각'은 언제 들어도 정겹다. 연분홍 진달래가 피어나고 곧 목련이 꽃망울을 터트릴 것이다. 봄의 교향악에 흠뻑 젖어 있고 싶다.

   이곳에는 100여 년 전 미국 선교사들이 가난하고 의료시설이 없는 낯선 땅에 세운 교회와 병원, 서양식 주택건물이 지어져 있다. 붉은 벽돌로 만든 건물 사이 산책로를 걸으며 이국적인 정취를 즐기기에 충분했다. 계단을 내려와 큰길을 건너면 대구에서 가장 오래된 고딕 양식의 유명한 계산성당이 있다. 성당을 한 바퀴 돌고 나오면 "빼앗긴 들에도 봄은 오는가" 일제강점기 저항 시인 이상화 고택을 만난다. 국란이 덮쳐올 때, 나라를 지킨 왕이 없지만 백성은 피를 흘리며 끝까지 지켜왔다. 시인은 총칼보다 강한 붓으로 슬픔을 딛고 백성이 희망을 갖고 일어서게 했다. 대구 시내에서 이런 역사의 유산을 볼 수 있다는 것은 참으로 다행한 일이다.

   이상화 고택은 국채보상운동을 주도했던 서상돈 고택과 마주 보고 서 있다. 그 옆 골목엔 문학체험관. 김원일의 소설을 주제로 한 마당 넓은 집이 있다. 역사적 인물과 소설 속 장면이 줄줄이 쏟아져 나오는 골목 여행의 쏠쏠함이 이곳에 있었다. 어디선가 한약재 냄새가 코를 자극한다. 약전골목에 들어선 것이다. '한의약 박물관' 마당엔 노란 산수유와 하얀 매화가 봄맞이를 하며 활짝 폈다. 어서 빨리 마스크를 벗고 자유롭게 봄을 즐기는 날이 빨리 왔으면 좋겠다.

조선 철종 때 최제우 선생이 창시한 동학은

"사람이 곧 하늘이라(人乃天). 사람 섬기기를 하늘 섬기듯 하라."

하는 가르침이다. 양반과 상민을 차별하지 않고 노비제도를 없애며 사회적 약자인 여성과 어린이의 인격을 존중하는 평등사상을 추구하였다. 하나님을 모시고 악을 물리치며, 어려움에 처한 백성을 구하고 새로운 세상을 꿈꾸며 행동하자는 거다. 사람을 소중히 여기며 평등하게 대하는 동학의 정신은 예수 그리스도의 정신과 일맥상통한다는 생각이 들었다.

통기타 가수 하면 김광석이 떠오른다. 그의 명곡을 테마로 한 조형물과 벽화가 350m정도 이어진다. 벽화는 오랫동안 발길을 멈추게 했다. 골목길에는 아기자기한 소품을 파는 샵과 담소를 나눌 수 있는 카페도 있다. 여행객 따라 길을 걷는 동안

"일어나 다시 한번 해보는 거야"

노래가 잔잔하게 흘러나와서 기분 좋았다. 노란색 바탕에 활짝 웃고 있는 벽화와 조형물 앞에서 사람들은 사진을 찍고 노래를 흥얼거린다. 남녀노소를 불문하고, 환하게 웃고 있는 김광석 얼굴과 그의 노래를 따라 걷는 낭만이 있는 길이다.

대구 청라언덕의 봄은 따뜻했다. 화려한 봄옷을 입은 젊은 연인

들이 많이 보인다. 가끔 반팔 옷을 입은 시민들이 활기차게 걷는 모습도 보였다. 벌써 여름이 오는가 보다. 생기가 넘치는 젊음은 참 보기 좋다. 10대들이 카메라 들고 삼삼오오 사진을 찍으며 새로운 봄날의 추억을 만들고 있다. 근대 문화유산을 따라 대구 도심을 걷는 여정은 가슴을 훈훈하게 했다. 꽃봉오리마다 새 생명이 움터오고 역사의 산증인들이 살아서 노래하는 문화의 거리를 걷고 또 걷는다. 봄을 이기는 겨울은 없다. 코로나가 우리를 아프고 슬프게 하며 우울하게 만들지만 봄은 온다. 기어이 새봄이 온다는 희망의 기지개를 쭉 편다.

반올림

　명절날 오후 직장선교회 회원들과 에덴원을 찾았다. 그곳에는 선천적으로 신체적 장애를 갖고 태어났거나 후천적 질병을 통해 어려움을 겪는 아이들이 생활하고 있다. 우리를 보자 반갑다 악수를 청하며 어깨동무를 하는 친구들도 있고, 손을 잡고 빙글빙글 마루 위를 노래하면서 뛰고, 지난밤 있었던 재미난 이야기들을 꺼내어 놓는다. 직장에서 매달 작은 사랑의 모금을 한 것으로 마련한 떡, 과일, 과자를 나누어 주었다. 각자 집에서 준비한 옷가지들도 모아 함께 가져왔다. 맘에 드는 옷들을 골라 입으며 즐거워한다. 이곳에서 평생 아이들을 돌보며 뒤치다꺼리 하시는 원장님을 만났다. 이순을 넘은 나이에 머리카락은 반백이었다. 아이들의 빨래와 반찬을 하느라 고생한 손이 거칠고 윤기가 없었다. 힘들고 어려운 일도 많았지만, 에덴원 자식들과 함께 살 때 행복하고 기뻐서 지금까지 이곳에 살고 있다며 눈가를 적신다.

　"원장님 천당과 지옥의 차이가 무엇일까요?"

"글쎄요, 팔이 굽혀지지 않는 사람들이 살고 있었지요. 지옥에 가서 보니 서로 자기만 음식을 먹으려고 하는데, 팔이 굽혀지지 않아서 먹지 못하고 뼈만 앙상하게 남았고, 천국에 갔더니 상대방 입에 숟가락으로 음식을 떠 넣어 주어 서로 맛있게 먹으며 즐겁게 살고 있었답니다."

라고 말씀해 주신다. 남에게 마음을 주면 다시 나에게 돌아온다는 진리다. 미움과 사랑사이 반올림하여 감사와 고마움으로 바꾸고, 시기 질투와 자비 양선 사이 반올림하여 화평과 행복한 삶의 터를 만들며 살고 싶다 하신다.

'봉사'라는 말이 듣기엔 순수하고 아름다워 보이지만, 그것을 실천하는 것은 그리 쉽지 않다. 나의 물질과 정성을 모으고, 시간을 배려해야만 가능한 것이다. 남 돕는 일을 통해 일어나는 정신적, 신체적, 사회적 변화는 말로 다 표현 할 수 없을 정도로 기쁨이 되어 돌아온다. 봉사활동을 하거나 선한 일을 보기만 해도 인체의 면역기능이 크게 향상되는 것을 "마더테레사효과"라고도 한다.

우리는 일상생활 속에서 사사오입이라고 하는 반올림을 종종 사용한다. 소수점 아래의 숫자가 5 이상일 때는 윗자리 수 1을 올리고, 5 미만은 버린다. 즉, 손해 보는 경우도 있고, 이익을 보는 경우도 있는 것이다. 중간을 기준으로 삼기 때문에 공평하다고 생각하기도 한다. 반올림을 하다보면 우수리가 버려지는 경우도 있고, 윗자리에 올라가서 1이 더해지는 경우도 있다. 대수롭지 않게 여길 수도 있으나, 이것이 사람의 통계 숫자일 경우는 죽느냐 사느냐하는 문제가 된다. 취업을 하는 경우, 삼십년 동안의 노력 끝에 얻는 기회를 합격과 불합격의 기로에 서게 한다. 이때 반올림으로 한 사람이 합격자의 자리에 온전하게 설 수 있는 기쁨과 감사는 말로 형용할 수 없다.

국악에서는 5음계, 서양음악에서는 7음계를 이용하여 아름다운 곡조를 만든다. 때로 음표에 반음처리를 하면 온음과 온음 사이 중간 음을 더 갖게 되어 소리의 감정 표현이 다양하게 되고, 리듬과 화음이 다채롭고 화려해진다. 애틋하고 감미로운 소리를 맛보게 하여 더욱 사람의 마음을 사로잡기도 한다. 빠르고 급한 변화가 아닌 '반올림(#)'이라는 음악의 선율처럼 부드럽고 온유한 삶으로 살아가고 싶은 마음이 간절하다.

반평생을 되돌아보면 어렵고 힘든 일들을 직면할 때가 참 많았다. 어머님이 세상을 떠나 슬픔에 잠겼고, 자식을 품에 안아보지도 못한 채 천국으로 보내고 아파하며 사무치게 그리워도 했다. 거짓과 사기로 경제적 손실로 속상했던 일들도 있었다. 상처가 아물고 눈물이 웃음으로 바뀌는 데는 오랜 시간이 흘러야했다. 내 자신이 걸어온 인생의 발자취와 봉사는 반올림이 되어 남는가 버림을 받는가. 가족과 직장을 위해 헌신한 수고는 반올림하여 의미를 부여해 주는 걸까? 아무런 가치가 없다고 버려질까? 불에 타도 없어지지 않고 남을, 삶의 흔적은 무엇이며 정말 내 가슴에 남아있는가 살펴본다.

아무것도 해보지 않고 실패했다기보다는 모든 일에 도전해 보고 그 결과는 창조주께 맡기는 삶을 살아왔다. 나와 너의 온음 사이에 반음 올려놓고 노래 부르면, 슬픔과 아픔이 변하여 기쁨 되는 날이 올 것이다. 즐겁고 감사할 때는 나 자신도 모르게 콧노래가 나온다. 비강이 열리고 콧잔등이 시원해지며, 미간의 떨림으로 두 눈꺼풀이 찡긋해진다. 날마다 소자(小子)를 위하여 빵 한 조각과 그윽한 향기 나는 차 한 잔을 준비할 수 있다면 반올림을 한 나의 일상이 되고, 여기에다 '(샵)'을 더한 변주곡 아리아를 연주한다면 새로운 미래를 꿈꾸게 하는 인생의 향연에 멋진 앙상블 지휘자가 나 자신이 될지도 모른다.

에덴원 식구들은 즐거운 명절과 연말연시가 와도 가족과 함께 즐거운 시간을 보내지 못하고 외롭게 보낸다. 가족이란 기쁠 때 기쁨을 같이 나누어 그것이 배가되어 좋고, 슬픔이 맞을 땐 서로 나누어 아픔이 반으로 줄어들어 좋은 거다. 외부에서 손님들이 작은 선물을 들고 찾아오는 날이면 어깨를 들썩이며 반가워한다.

우리가 만든 떡국과 부침개도 맛있었다고, 언제 또 오냐며 좋아라 했다. 잠시 머무르다 떠나려고 문을 나서면 아이들은 몰려와서 끌어안고 손을 놓지 않는다. "사랑해요. 고마워요. 감사해요." 라는 말을 수없이 반복한다. 아쉬운 듯 손을 잡고 좀 더 놀잔다. 희로애락을 겪는 삶 속에서 더욱 행복하고 맛깔 나는 세상을 위해 사랑의 반올림, 감사의 반올림, 고마움의 반올림을 하고 싶다. 햇살 좋은 어느 날, 외로운 아이들의 눈빛이 그리워지면 늘 그랬듯 나는 또다시 찾아올 것이다. 그렇다 아무리 힘들고 어려웠던 오늘도 지나간다. 우리를 슬프게 한 짐들을 하나씩 벗어놓고 멋진 춤사위 한판 벌이며, 따뜻한 봉사와 섬김의 팡파르가 더 자주 울려 퍼지기를 소원해 본다.

있을 때 잘해

일요일 오후 봄바람이 옷깃을 스며든다. 교회에서 애호박 꾸미와 다대기를 넣은 손칼국수를 맛있게 먹었다. 옆에 있던 자매가 팔과 다리를 다친 아랫마을에 사는 목수가 생각난다며 국수 한 그릇을 갖다 주자고 한다. 큰 대접에 끓은 국수를 담고 양념간장과 김치를 준비하여 찾아갔다. 대문 밖에서 초인종을 누르고 기다려도 아무런 대답이 없다. 문을 열고 방에 들어가 보았다. 차가운 방에 목수 아저씨가 팔과 다리를 붕대로 감은 채 눈을 감고 누워 있었다. 밥상 위에 국수 한 그릇과 수저를 올려놓은 후, 종지에 담은 간장과 접시에 가지런히 김치를 담아 차려 놓았다. 목수는 젓가락으로 국수가닥을 들고는 곧바로 먹지를 못한다. 눈물을 흘리며 천장만 바라보는 것이다. 가슴이 뭉클하고 콧등이 시큰해져 옴을 느꼈다.

목수는 집 짓는 일을 하다가 지붕 위에서 발을 헛디뎌 땅에 떨어졌다. 발목이 부러지고, 오른팔이 골절됐다. 그의 아내는 바람이 나서 어디론가 떠나버렸고, 외동딸은 대학을 중퇴하고 가출하여 소식이 없다고 한다. 걸을 수도 없고 손을 움직이지 못하여 밥상조차 들을 수 없는 기막힌 상황이다. 왼손으로 어렵게 국수를 먹고는 감사하다는 인사를 하며 돌아앉아 눈가를 또 적신다. 가슴이 메어지는 듯 아파왔다. 더 잘 해주었어야 했는데 소흘히 했던 생각이 몹시도 후회스러웠던 것 같다.

어느 여름 날 아침, 출근길에 있었던 일이 생각난다. 집안일은 해도 해도 끝이 없고 표시가 나지 않는다. 아내는 매일 방마다 청소하고, 설거지와 빨래를 한다. 반찬을 만들며 식탁을 준비하는데 걸리는 시간은 장난이 아니다. 어릴 적 젖배를 곯은 탓인지 제때에 밥을 먹지 못하면 나도 모르게 짜증이 난다. 식사시간이 늦어지면 종종 화를 내기도 했다. 출근 준비를 하고 기다리는데 아침 식사가 늦어졌다.

"여보 무엇해! 빨리 밥 주지 않고!"

소리를 버럭 질렀다. 조금만 늦게 출발하면 출근시간에 차들이 몰려서 지각하기 쉽기 때문이다. 뻘떡 일어나 빈속으로 신발을 신으려 하는데 아내가 따라와서 "꼭 그렇게 화를 내고 출근해야 해요?" 한다. 그 순간 망치로 뒤통수를 맞은 듯 충격을 받았다. 부모 형제를 뒤로 한 채 시골 총각을 따라 시집을 왔고, 일평생을 헌신적으로 살아가고 있는데 밥 한 숟가락이 그리도 중요했던 것일까? 남편이란 자가 이토록 속이 좁은 사람인가? 쪽팔리고 창피한 생각이 들었다. 때늦은 후회가 막심했다. 그 후로는 밥 때문에 싸운 적은 없다.

저녁 식사를 하는데 대기업에 다니는 친구의 고백이 마음 한구석을 잔잔하게 두드렸다. 무남독녀 외동딸이 아파서 병원에 입원

했을 때였다. 딸과 마주친 아빠는 손을 잡고 몸의 건강 상태를 물었단다. 그러나 딸은 대답 대신

"아빠 나 사랑해?"

"그럼, 사랑하지, 그러니까 이른 새벽부터 밤늦게까지 일하여 너의 학비, 옷값, 용돈을 그동안 주지 않았니?

"다른 사람도 다 그렇게 하잖아."

라고 말하더란다. 그 말을 듣는 순간 종은 울리기까지 종이 아니고 사랑은 상대가 느낄 때까지 사랑이 아니구나. 하는 깨달음이 오더란다. 누구를 위하여 종은 울리는 것인가. 깊은 생각에 잠기게 한다.

문득 돌아가신 어머니 생각이 났다. 부모의 마음을 자식이 모두 알고 살아 가겠냐마는 가까이 있을 때 잘해야 한다. 어머니는 세월의 모진 비바람을 맞으며 살림살이와 자식 걱정에 앙상한 나뭇가지처럼 사셨다. 맛난 음식 한번 사서 드시지 않고, 좋은 옷, 좋은 신발도 신지 못했다. 어머니가 해준 밥과 반찬을 먹을 줄만 알았지 따뜻한 국밥 한 그릇 사드리지 못했다. 어머니가 세상을 떠난 후에야 비로소 고맙고 감사한 마음으로 그리워하며, 철드는 어리석음이 가슴에 아리어 온다. 어머니 무덤가에 잡초를 뽑으며 '조금만 더 오래 사시다 가시지요, 효도할 기회는 주셨어야죠' 속상한 마음을 혼자 뇌어본다. 때를 기다려 주지 않음이 야속하기만 했다.

바람에 스쳐가는 인연들이다. 하루에도 사계절이 있다. 어스름한 새벽을 지나 아침이란 봄을 맞고 좋아하지만, 곧바로 중천에 해가 떠오르는 여름을 만난다. 힘들고 어려워 잠시 땀을 닦고 나면, 낙조가 드리우는 황혼의 가을을 가슴에 안고 길을 걸어야 한다. 오

늘밤이 지나가면 찬란한 태양이 떠오르는 내일이 오리라 기약하며 추억을 더듬어 본다. 꽃피는 봄부터 흰 눈이 쌓이는 날 까지 시절의 앨범을 만들었다. 나의 인생에도 봄, 여름, 가을, 겨울이 어김없이 또 지나가고 있다.

　공기, 물, 빛은 언제나 아무런 값을 지불하지 않아도 무한한 사랑을 준다. 온갖 식물들을 자라게 하고 풍성한 삶을 누리게 한다. 산등성에 올라가 소리쳐 불러보아도 멀리 메아리만 되돌아올 뿐 그 어머니의 자리는 비어 있었다. 나는 왜 고마움을 모르고 살았던가. 만남의 강을 떠나면 다시 올수 없다. 눈으로 보이지 않고 귀로도 들을 수 없어도 가까이 있을 때 뜨거운 가슴으로 보듬으며 아껴 주어야 하겠다는 생각이 절실하게 들었다. 소중한 것을 소중하게 여기며 있을 때 잘해야한다.

우째 이런일이

지옥문이 열렸다. 폐렴을 일으키는 팬데믹이 노인층에 더 위험하다고 하니 집콕 할 수밖에 없다. 창살 없는 감옥에 갇혀있는 것과 다를 바 없다. 나라와 나라가 빗장을 하고, 도시와 도시는 이동제한령의 장벽을 설치하며, 집집마다 대문을 굳게 닫고 혈육의 정까지 끊고 살게 한다. 너와 내가 만나지 못하고 혼자서 살아가야하는 언텍트 시대가 온 것이다. 중국 우한에서 출발한 코로나19가 세계를 강타해 죽음의 사자로 찾아오는 팬데믹은 부모와 형제를 잃게 하고 북망산천을 바라보게 했다. 유럽과 북미는 전쟁터에서 죽어가는 병사들만큼 사상자가 늘어났고, 가난하고 힘없는 노숙자까지 쓸어 갔다.

식당은 의자를 뒤집어 탁자위에 올려놓았고, 극장과 노래방 유흥업소는 절반이하로 손님이 줄어들어 문을 닫아야 할 정도이다. 해외 신혼여행은 일찌감치 여행지를 포기하였고, 여행사는 줄줄이 도산의 위기를 맞았다. 회의도 온라인으로 하고, 비대면으로 일을 함으로써 사무실은 텅빈 의자만 보였다. 전쟁으로 폭격을 맞은 도시처럼 참혹하고 암담한 분위기가 펼쳐졌다.

자영업자 소상공인들은 발을 동동 구르며 폐업이 속출하고 있는 실정이다. 소상공인 공단에 근무하는 막내딸이 집에 와서는

"아빠 너무 피곤해!"

하며 침대에 쓰러진다. 경제적으로 어려움을 겪는 소상공인들의 대출 건수가 파도처럼 밀려와 잠시도 쉴 틈이 없다는 것이다. 직장 출근이 전쟁터를 향해 가는 기분이며, 사는 게 빡빡하다 보니 줄지어 선 사람들의 대출을 심사하느라 혼이 빠질 지경이란다. 오가는 손님들이 없는 시장의 상가는 셔터를 내리고 장사를 접어야 해서 월세도 못 내고 먹고 살기 조차 힘들어졌다. 학원가와 유흥가는 불이 꺼진 밤처럼 더욱 심각하다. 다양한 장사를 하는 소상공인들은 울상이다. 생활고에 지친 이들의 많은 요구들을 모두 들어 줄 수는 없는 노릇이다. 그렇다 보니 조금만 서운하면 민원인들의 항의와 욕설이 퍼부어지고, 생떼를 쓰는 바람에 마음과 몸은 지칠 대로 지친다고 한다. 서울에서 사는 큰딸에게서 전화가 왔다

"아버지 어떻게 해요? 애기 아빠가 출근을 못하고 재택근무를 하며, 아이들은 가정에서 온라인 수업을 받아야 한 대요."

집안 청소와 식사 준비로 신경을 쓰며 바빠진 모습이 눈에 선하다. 삼식이들이 집에 가득하니 엄마가 해야 할 일이 세배나 많아졌다. 남편과 아이들 뒷바라지에 빼도박도 못하는 빼박이 신세가 되고 말았다. 직장이 문을 닫고 등굣길은 멈추었다. 몸은 깡말라서 바람 불면 쓰러질 듯하다. 가냘픈 손과 긴 목이 애달프게 그려진다.

"건강 조심하세요. 면역력이 약한 어른들이 제일 위험해요"

"그래, 고맙다. 이번 명절은 어렵게 내려오지 말거라.

가족과 함께 건강관리 잘해야 한다."

전화기를 내려 놓았다. 어쩌면 그것이 부모를 위한 효도인지도 모르겠다. 혈육의 만남도 팬데믹의 장막에 가리어져 가족만남의 기쁨을 뒤로 기약해야 했다.

다섯 명 이상 모임이 허락되지 않으니 친구들 모임, 문인화 동호회와 멜로디에 빠져보는 하모니카 사랑방 모임도 정지되었다. 마스크 착용으로 서로의 얼굴을 볼 수 없어 기쁜지 슬픈지 알 수가 없다. 버스를 타거나 식당을 가서 어쩌다 잔기침이라도 나오면, 서로 눈치보기에 바쁘고 코로나 확진을 의심하는 눈치가 살벌하다. 혹여 마스크를 착용하지 못하면, 중대한 병에 걸린 사람인 양 정죄 당하며 모든 생활 터전의 문을 통과하지 못한다. 시장과 골목은 전쟁으로 폐허가 된 것처럼 온통 찬바람만 부는 생지옥이다.

코로나19는 전염 자체보다도 정치, 경제, 사회, 문화 전반에 걸쳐 많은 변화를 가져왔다. 사회적 거리두기, 재택근무, 온라인 수업 등 비대면 생활이 빠른 속도로 일상화되고 있다. 오프라인 재래시장과 백화점 등 대부분의 소상공인들은 이번 지옥문을 얼마나 살아서 통과할까? 새로운 세상이 다가오고 있다. 이러한 시기에도 위기가 기회가 되어 직업이 활성화되고, 호황을 이루는 곳이 있다. 어느 한 편이 좋으면 또 다른 한편은 나쁜 경우가 있는 법이다. 택배회사와 기사들은 바빠서 죽을 지경이고, 음식물을 배달하는 오토바이 퀵서비스와 마스크 업계는 숨 쉴 틈없이 바쁘다. 인터넷 상거래 기업은 밀려드는 주문을 해결하기 위해 더 많은 직원을 채용하고, 한 나라의 경제를 성장시키는 백신은 새로운 수출품으로 자리 잡기도 했다.

팬데믹 코로나19 이전보다 이후가 걱정이다. 하드웨어 시대에서 소프트웨어 시대로 변해가고 있지 않은가. 일자리를 잃어버리고 가난하여 병원에 갈 형편도 못되는 사람들이 늘어남으로 부익부 빈익빈이 더 심해질 것이기 때문이다. 그동안 나는 한 가지 일을 하며 평생 살아왔다. 이제 여러 가지 일을 동시에 밤낮 구별 없이 할 수 있는 멀티시대가 되었다. 유럽에서 전염병 때문에 봉건시대가 붕괴되고 르네상스 시대를 맞았듯이, 지식정보화 사회에 새로운 인공지능시대가 다가온다. 로봇의 노예가 되지 않으려면 오로지 사람만이 할 수 있는 창의적인 일들을 찾아야 하는 고민을 할 수밖에 없다.

일 년에 한 번쯤은 외국 여행을 가서 그 나라의 풍습과 문화를 경험하고, 음식과 과일들을 맛보는 재미가 있었다. 백신을 맞고도 면역검사를 하고, 코로나19가 걸리지 않았다는 음성반응이 나와야만 비로소 움직일 수 있으니 어찌 여행을 가겠는가. 국내 여행도 관광지마다 거리 두기로 을씨년스럽기만 하다. 입이 있어도 말 한마디 제대로 하지 못하고 웃지 못하는 벙어리들이 사는 세상이 됐다. 새로운 새벽 미명이 아무리 어두울지라도 찬란하게 떠오르는 동녘의 해를 멈출 수는 없다. 팬데믹 코로나19가 우리를 슬프고 답답하게 하지만 기어이 봄은 올 것이다. 가족들과 손잡고 산과 들로 나가 마음껏 숨 쉬며 춤출 수 있는 새봄이 기다려진다.

엄마도
여자이고 싶다

어스름한 새벽 어머니가 잠자리에서 조용히 일어나셨다. 머리에 수건을 쓰고 앞치마를 두른 채 부엌으로 가신다. 추운 날씨에 아버지는 큰 가마솥에 물을 가득 담아 끓인다. 청주로 학교를 다니는 아들을 위해 아궁이에 불을 지펴 가마솥에 아침밥을 지으면 김이 소리를 내며 나올 때 까지 기다려야 한다. 밥상에 김치와 깍두기 국과 찌개를 끓여 올려놓고 방으로 가져오면, 국에 밥을 넣어 말아서 정신없이 먹고는 가방을 들고, 기차역을 향해 십리 길을 걸어간다.

어머니는 손에 핸드크림이나 얼굴에 구루무도 바르지 못하고 부엌일을 하다 보니 피부는 엉망이 되었고, 잔주름살이 얼굴에 하나둘씩 늘어만 갔다. 시골 농사일은 철 따라 쉴 틈 없이 생겨난다. 봄부터 가을까지 허리 한번 제대로 펴질 못하고 일을 해야 한다. 뜨거운 햇살이 떨어지는 밭에서 김을 매던 이마엔 땀방울 맺혔다. 베적삼이 흠뻑 젖어도, 밭이랑에 돋아난 풀을 호미로 묵묵히 뽑으셨다. 얼굴은 검게 그을리고 손마디는 굵어져만 갔다. 예쁘게 화장하여 고운 피부를 가꾸며, 비단 저고리와 옥색 치마 입고 양산을 든 채 아름다운 여인으로 걸어가고 싶은 그 마음이 어찌 없었겠는가. 뭇 사람들의 부러움을 사며, 뽐내고 싶은 여자의 마음이 엄마에게도 있었으리라. 바쁜 농사일에 파묻혀 나들이 한번 갈 수가 없었던 것이다. 힘들고 어려워도 엄마라는 이름으로 참아내야 하고, 오랜 세월 무던히도 기다리고 또 기다려야만 했다.

젊은 청춘을 덧없이 보내고 가난에 한 맺힌 설움이 북받쳐 오를 때면, 밭두렁에 걸터앉아 두 다리 쭉 뻗고 우시면서, 가슴 속 한을 타령으로 달래기도 하셨다. 비 오면 젖을까? 바람 불면 추워 떨까? 자식 걱정을 하고, 열두 폭 치마로 감싸며 고된 시련을 참아내셨다. 황토밭을 일구려면 쟁기로 밭 두덩을 갈아엎어야 한다. 황소의 코뚜리를 잡고 밭고랑을 걸어가는 도중 황소 뿔에 허리를 들이 받치셨다. 날궂이 하는 것을 허리의 통증으로 느낀다. 비가 오는 날이면 주물러 달라고 하신다. 허리와 다리를 주무르다가 팔이 아파서 쉬고 싶은 마음이 들지만 멈출 수가 없었다. 그렇게 피로가 풀려 잠이 들면 엄마의 밤도 깊어졌다.

장날에는 동백기름을 머리에 바르고 참빗으로 긴 머리를 빗으신다. 휘어감은 쪽머리에 비녀를 꼽고 곱디고운 한복으로 단장하며, 하얀 고무신 신고 사뿐사뿐 걷는 모습은 노랑나비가 나는 것만 같았다. 해가 서산에 걸리는 저녁이 되면 쌍고개 까지 달려가 머리에 이고 오시는 보따리를 받아 들고 뛰어 들어왔다. 사과 한 덩이 과자 한 봉지를 받아든 얼굴엔 세상을 얻은 기분이다. 하루 종일 점심을 굶어가며 5일장에 다녀온 어머니는 우물물에 미숫가루를 타 마시며 허기진 배를 채우셨다. 자식에 대한 어머니의 사랑은 이 세상 무엇과도 비교할 수 없다. 하여 어머니란 말만 들어도 울던 아이가 울음을 멈추고, 강도와 건달들을 감동시키며 회심케 하는 힘이 있는 것 아닐까.

어느 날 고향 집으로 찾아가서 "어머니 오늘 맛있는 음식을 사드릴게요." 외식을 청하면 아무런 대답을 하지 않으신다. 외출 할 준비가 되어있지 않아서 나갈 수 없기 때문이다. 농촌 밭일에 늘 바쁘고, 집안일에 쉴 틈이 없었다. 나뭇간의 먼지들이 머리에 쓰신 수건과 신발을 희뿌옇게 만들었다. 부엌일에 익숙한 몸뻬바지에 무명저고리를 입고 나가도 괜찮으리라 생각하는 자식의 무심함이 몹시도 속이 상하셨나 보다. 언제나 자식 키우느라 자신의 몸매는 가꿀 틈이 없었고, 가난한 살림살이 돌보느라 좋은 옷 한 벌 사 입지 못했다. 농부의 아낙네로 그렇게 사는 것이 당연한 어머니의 삶이라고 여기던 철없는 생각이 한없이 부끄러웠다.

잠시 기다리는 동안 거울을 꺼내 놓고 화운데이션과 분을 바르신다. 빨간 루즈로 입술을 아래위로 색깔을 펼쳐 앵두처럼 만들었다. 장롱 속에 고이 넣어둔 한복을 입고서야 집을 나서신다. 여자의 아름다운 모습을 사랑하며 여자의 자존감을 잃지 않고 존중받고 싶은 거다. 엄마의 가슴 깊은 곳에서 수줍은 듯 피어나는 여자이고 싶은 마음이 봄 꽃밭에서 춤추고 있었다.

황무지에 핀 장미

　해외여행의 즐거움이란 그 나라의 음식을 맛보고 생활 풍습을 경험해보는 것이다. 분위기가 깔끔하고 아늑한 '두바이' 한인 민박집을 찾았다. 사막에 지은 집으로 벽면은 고운 황토색으로 칠해 친근감을 느끼게 했다. 객실은 2층에 준비되어 있었고, 스위트한 분위기의 방은 우리나라에 있는 듯 편안함을 주었다.

　이튿날 사막 투어로 듄배싱을 하기 위해 짚차를 탔다. 붉은빛이 도는 모래언덕을 사륜구동차를 타고 거침없이 달린다. 사막여행의 꽃이라고 불리기도 한다. 광활한 사막의 모래알들이 발끝에 보드라운 촉감으로 다가왔다. 식물들이 죽지 못해 살고 있는 모습에 목이 말랐다. 사구를 타고 올라가는 운전 묘기는 가슴을 철렁 내려앉게 했다. 둔덕을 오르며 곡예 하듯 사구능선을 탈 때는 비명이 저절로 나왔다. 등줄기가 시원하다. 손바닥과 속옷이 땀으로 흠뻑 젖었다. 그동안 쌓였던 스트레스가 한방에 날아간 기분이다. 사막 위에 일몰이 펼쳐지는 광경은 가히 예술이다. 고즈넉한 사막위에 숨

넘어갈 듯한 황혼의 엘레지를 가슴에 담고 눈에 새겨두고 싶었다. 아름다운 노을 속으로 그동안 열심히 살아온 여행객들의 수고와 보람이 붉게 물들어 갔다.

사막의 밤은 생각보다 쌀쌀하다. 간단한 식사를 하며 축제의 시간을 기다리는데 어디선가 정다운 노랫소리가 들려왔다. 빨간 드레스에 분홍빛 두건을 두른 여인이 우물가에서 어깨춤을 추며 노래를 부른다. 놀랍게도 토요일 밤을 한국어로 부르고 있는 거다. 이목구비는 동양인보다 뚜렷하고, 긴 머리를 어깨까지 늘어뜨리고 있었다. 우리도 신이 나서 노래를 함께 불렀다. 그녀는 고맙다는 인사를 하며, '파라구아이'에서 왔다고 자신을 소개했다. 우리가 한국에서 왔다고 하니 정확한 노래를 배우고 싶다며 나에게 노래를 청한다. 나는 토요일 밤 노래를 다시 한번 불렀다. 그녀는 커다란 눈망울을 둥글리며 함께 노래를 불렀다. 여행 추억을 남기기 위해 우리 일행은 기념사진을 찍었다.

여러 나라에서 온 관광객들은 술 한 잔에 흥이 돋우어졌다. 모래 위에 어둠이 깔리고, 물담배를 피우는 연기가 밤무대 공연장의 긴장감을 고조시켰다. 불꽃 쇼가 원을 그리고, 반라의 여인이 가슴과 엉덩이로 발리댄스를 추며 무대 중앙에 나타났다. 신나는 왈츠 곡을 따라 박수치며 환호성을 울린다. 현란한 몸짓에 모두들 넋을 잃고 숨죽인다. 사막의 밤하늘 풍경과 색다른 음악의 멜로디로 흥겨운 축제의 밤은 더욱 깊어 갔다.

두바이는 식물이 살 수 없는 황무지 땅이요 거대한 사막이다. 막대한 오일달러에 힘입어 중동 금융의 중심 도시가 되었고, 유럽과 미주, 아시아와 아프리카까지 이동이 가능한 세계 허브 공항이 자리 잡고 있다. 유전으로 부자나라가 되었으며, 국왕이 존재하고 있는 나라다. 국왕은 에너지 자원이 고갈되면 백성이 무엇을 먹고살 수 있는가를 계획했다. 그동안 모은 재산을 국가에 헌납하면서 세계에서 제일 높은 빌딩을 지으며, 사막에서 눈썰매를 탈 수 있는 눈밭을 만들었다. 우주에서도 보인다는 '주메이라 팜' 바다농장을 만들었을 뿐 아니라, 30억을 투자하여 만든 크리스마스트리가 있는 궁전 등 세계의 관광 요람을 만들었다. 오일 자원이 고갈된 후에라도 잘사는 나라로 남게 하려는 지도자의 마인드에 감탄과 박수를 멈출 수 없었다. 두바이 국왕은 백성을 두려워하며 섬기는 왕인 것 같다.

'버즈 칼리파'의 낮과 밤은 사뭇 달랐다. 두바이는 세계 최고의 스케일만 있는 게 아니라, 이 세상에 있는 모든 것들을 한 도시에서 느낄 수 있게 꾸미고 있었다. 세계에서 가장 높은 162층의 건물을 3일에 1층씩 쌓아 올리는 최단 공기를 기록해 세상을 주목시켰다. 그것을 시공한 업체가 바로 우리나라 삼성건설이라 한다. 세계 중심에 한국이 있다니 자랑스럽고 가슴이 뿌듯했다. 가장 인기가 있는 시간은 일몰과 시내야경을 볼 수 있는 시간대이다. 148층 전망대가 워낙 인기 있는 장소라서 꽤나 길게 줄을 서야 했다. 저녁에 '압델와하브' 레스토랑에서 분수 쇼를 보고 있는데 호수 전체가 음악에 맞춰 화려하게 물 파도 춤을 춘다. 버즈칼리파 빌딩에는 레이져쇼가 화려하게 펼쳐졌다. 수많은 관광객들의 감탄사가 홀을 가득 메웠다.

두바이는 지금도 진행 중(ing)이란다. 공사 중이고 청소 중이다. 곳곳에 현대식 건물이 들어서고, 원자력 발전소를 새로이 건설하고 있다. 바닷물을 끌어들여 언제나 풀과 꽃이 피는 낙원의 도시를 만들고 있으며, 세계의 유명한 미술작품을 볼 수 있도록 바다미술관을 짓고 있는 건설현장이 보인다. 여행 일정 마지막 날에는 '아부다비' 궁전에 들어갔다. 왕이 된 것처럼 으리으리한 소파에 앉아서 커피와 아이스크림을 주문했다. 웨이터가 들고 온 고급 커피 잔에 금가루가 떨어져 있고, 아이스크림에는 금 조각이 뿌려져 있다. 오! 금 커피, 금 아이스크림…. 사막에 꽃이 피고 새가 울며, 춤과 노래가 무르익는 두바이 여름은 황무지에 장미꽃을 피웠다.

* **듄배싱** : 모래언덕 드라이빙

사랑이

"둘도 많다 하나만 낳아 잘 기르자"

우리나라가 가족계획을 시행하던 시절의 표어다. 우리 집은 셋째 딸을 선물로 받았다. 아름다운 은혜라는 뜻의 가은이라 이름을 지었다. 가족들은 "사랑이"라고 불렀다.

가족 간의 의견 대립이 있을 때는 화해하는 방법으로 가정 제단을 쌓고 대화의 길을 열었다. 융통성과 이해심이 남다르게 많은 딸이다. 웃음꽃 피는 가정으로 만드는 애교쟁이다. 언니들이 생활하는 모습을 보고 자신이 처신해야 할 지혜를 얻은 것 같다. 성경말씀 공부를 가장 열심히 하고 생활에 적용하여 사는 마리아 같은 딸이다.

아침 출근할 때는 콧노래를 부르며 함께 간다. 팔짱을 끼고 걸어갈 때 딸 바보 아빠의 가슴엔 행복한 깨소금이 만들어진다. 차 안에서 종종 상대방 전략을 순간 생각하면서 가위 바위 보 게임을 한다. 하루일과를 시작하는 아침을 즐겁고 신나게 출발하는 거다. 딸의 퇴근 시간이면 남부터미널 주차장으로 마중을 나간다. 하루종일 소상공인들의 민원처리에 시달린 셋째 딸의 어깨를 다독여 주고, 사랑스런 대화를 나누며 집으로 돌아온다. 귓속말로 "아빠 사랑해요!" 하면서 재미났던 직장 일들을 들려주기도 한다. 딸자식을 키우는 재미다. 큰딸과 작은딸이 출가한 후 셋째는 스물일곱 살이 되도록 사귀는 애인이 없었다.

"사랑아, 너는 남자 친구도 없는 거야?"

"기다려보세요 하나님이 주실 거예요"

하면서 씽긋 웃는다. 그해 가을 대학사역자들의 모임을 우리 집에서 갖게 되었다. 친구들이 인사를 하며 방에 들어왔을 때 "우리 가은이는 자세히 보아야 예쁘고, 오래 보아야 사랑스러운 아이야" 했더니 모두 재미있다고 까르르 웃는다. 이 말 한마디가 호수에 던진 조약돌이 될 줄 몰랐다. 한 남자 친구의 가슴에 꽂히어 움직이기 시작한 것이다. 그동안 대학 서클 임원이면서 친구로만 여겨왔던 사이가 이성으로 보이기 시작하는 계기가 되었기 때문이다.

어느 날 아침 막내딸이 일어나더니 "아빠! 사귀자는 남자가 생겼어요." 한다. 가슴에 요동치던 설렘을 고백한 남자친구의 프러포즈 내용을 알려준다.

"스물과 나누던 어색한 인사는 일곱 해를 지나 익숙한 벗이 되었다. 겹겹이 쌓이던 시간의 틈 속에 작은 순하나 남몰래 자라나 일곱 해의 끝자락에 익숙함을 벗어버리고 우리는 다시 서툴기로 하였다."

젊은 연인들의 만남은 밤새는 줄 모르고 끝없는 이야기를 나누며 사랑의 꽃을 피웠다. 결혼 예비학교에서 공부하며 사랑의 언어를 배웠고 새 가정에 대한 꿈을 꾸어 갔다.

들녘에 벌과 나비가 나는 따스한 봄날, 예비 사돈 양가는 이효석 문학관을 찾아가는 여행을 했다. 메밀꽃 필 무렵으로 유명한 평창 들판이 보이는 정자에 앉았다. 사랑이는 흰 백지를 한 장씩 나누어 주고는 시를 한편씩 쓰는 즉석 백일장을 열었다. 예상 밖의 일에 모두가 깜짝 놀라는 눈치다. 장원을 뽑고 시상을 하겠다고 한다. 심사위원은 누가 하는 것일까 궁금했다. 각자 시를 쓰는 시간에는 침묵의 시간이 흘렀다. 시를 낭독하면서 감동이 되는 것에 손을 들어 표현하기로 한 것이다.

"해보았지만, 하고도 있지만
볼 수도 없고 가두어 둘 수도 없어
가슴 한켠에 미소 짓게 하는 그 무엇이 있으면
그게 사랑이리라."

바깥사돈의 시가 장원으로 뽑혔다. 어렵게 여기던 두 가문 사이가 글로 가까워지고 정겨운 시간을 갖게 된 것은 문학 속의 연인들처럼 기쁘고 흐뭇하기만 했다. 항상 어린 자식으로만 여겨왔던 아이들이 아름답게 살아가는 그림을 그려 보았다. 미래를 축복하는 부모들의 마음을 느끼리라 생각하면서 이효석문학관 계단을 걸어 내려왔다. 이심전심 통하는 양가 엄마의 가슴엔 작은 희망의 꽃봉오리가 피기 시작했다.

사랑이를 그리며 얼마나 가슴 설레며 기다렸던가. 또 얼마나 아파하며 울었던가. 끝없이 주고 또 주어도 다함이 없다. 열 손가락 깨물어 아프지 않은 것이 없으련만 유독 치마폭 속에 숨겨둔 막내딸의 애교가 오늘도 아련하게 떠오른다. 수많은 세월이 흘러 어여쁜 손주 안고 오는 날 반가움에 젖은 눈물 흘리리라. 이제나저제나 사랑이가 꽃신 신고 오려나, 뻐꾸기 우는 언덕에 앉아 목이 긴 사슴처럼 눈망울을 적신다.

어머니의 젖가슴은 젊을 땐 고봉밥이었으나,

점점 줄어들다가 홀쭉해지고, 결국 텅 빈 그릇이 되고 만다.

한 세월이 지나고 볼품없이 쪼그라진 검붉은 젖꼭지 위로

지친 세월이 엉겨 붙은 속 빈 주머니가 된다.

고난의 세월 서러움 감추면서 소중한 생명을 지키고,

달콤한 사랑의 샘물을 퍼 나른 두 봉우리는

젖 가리개 속에 감추어진 보석이다

겨울

벽

통일전망대에서 북녘 산과 하늘을 바라본다. 철의 장벽이 우리를 막고 서 있다. 철쭉꽃이 만발하고 아스라이 희뿌연 안개가 초소를 드리우고 있다. 내 조국 내 나라 땅인데 어찌하여 한 발자국도 내디딜 수 없단 말인가. 동족상잔의 피비린내 나는 6.25 전쟁으로 가려진 이념의 벽에 남과 북이 오고 갈 수가 없다. 부모와 자식이 헤어졌고, 남편과 아내가 생이별하여 눈물로 그리움을 달래던 실향민의 한 많은 세월이 또 얼마인가. 비가 오나 눈이 오나 부모 형제와 살던 고향 산천에 한 번이라도 가고 싶은 애달픈 심정을 어떻게 달랠 수 있을까. 전 세계 나라들 중 분단으로 통일되지 않은 곳이 유일한 한반도 우리 땅이다. 안내자의 설명을 듣고 계단을 터벅터벅 내려오는 발걸음은 한없이 무겁기만 했다.

북녘땅을 밟았던 때가 생각났다. 개성공단에 공장을 두고 사업하는 친구가 있다. 중국과 서울 그리고 개성에 공장을 세워 놓고, 만든 물건을 세계 여러 나라에 수출했다. 친구는 개성공단에서 물건 만드는 과정과 제품을 보여 주고 싶어 중학교 동창생들을 비즈니스로 초청했다. 난생처음 북녘땅을 밟아보는 기대와 설렘으로 밤잠을 이루지 못했다. 우린 여권을 소지하고 '도라산역'으로 갔다. 신의주와 서울을 잇는 경의선 철도역 중 최북단 기차역이다. 북한 병사가 지키는 출입구는 경계가 삼엄했다. 철저한 보안 심사를 마치고 출입 철문을 통과했다. 달리는 기차 안에서 분단의 장벽을 넘어갈 때는 야릇한 기분이 들었다.

창밖으로 산과 들이 보인다. 모내기를 하는 때인지라 논에서 모를 심고 밭에서는 씨를 뿌리는 모습들이 간간이 눈에 띄었다. 저 멀리 민둥산들이 계속 지난다. 개성에 도착하여 간단히 점심을 먹은 후 공장을 방문했다. 일하는 사람들과는 대화를 할 수 없고 사진을 찍어서도 안 된다고 했다. 공장 아가씨들 입은 옷이 70년대 아낙네의 옷차림과 비슷했다. 남자들은 키가 작았고 검게 그을린 얼굴로 마른 편이었다. 이곳에서 만든 제품이 세계에 수출하고 있다니 마음 한구석으로 뿌듯하고 자랑스러웠다. 그러나 같은 민족끼리 말을 할 수 없다는 아쉬움은 깊은 마음의 장벽으로 남았다.

개성하면 제일 먼저 떠오르는 것이 고려 말 충신 정몽주와 선죽교다. 이방원이 드렁칡이 서로 얽혀 사는 것처럼 함께 살자고 회유를 했으나 임 향한 일편단심 변할 수 없다는 정몽주가 철퇴로 맞아 죽은 곳이다. 몇백 년이 흘렀건만 그 다리 위에는 붉은 피의 흔적이 형상화되어 아직도 선명하게 남아 있다. 고려가 망하고 조선건국이념의 벽이 또 하나의 슬픔을 만든 것이다.

나라를 지키는 진정한 충정은 무엇일까? 언제까지 우리는 이러한 벽에서 통곡하며 살아야 하는 건가. 반드시 나와 뜻이 맞아야 친구이고 그렇지 않으면 적이 되어야 하는 걸까. 심장에서 같은 피가 흐르는 한 형제자매인데 무엇이 그토록 싫고 무엇을 그리 미워해야 하는지 도무지 이해할 수가 없다.

돌아오는 길에 바람이 스쳐간 자리에서 지난날 들풀들의 이야기를 들었다. 누구도 갈 수 없었던 철길 위에 보고 싶은 마음을 내려놓고, 먼 하늘에 떠가는 구름 속으로 애달픈 그리움의 편지를 써 보냈다.

'이다음에는 손주들 손잡고 와서 부둥켜안고 춤추면서 목 놓아 울고 싶다고….' 남으로 달려오는 기차 안에서 바라보는 남쪽 산에는 따뜻하게 미소 짓는 숲이 울창했다. 반갑고 기뻤다. 그러나 도라산역은 아무런 말이 없다. 눈을 들어 잃어버린 북녘의 산천을 돌아보았다. 언제 다시 신의주행 특급열차가 이 철길을 달릴 수 있을까.

답답한 벽이 어찌 이것뿐이겠는가. 남녀의 만남 속에서도 마찬가지다. 청춘 남녀가 뜨겁게 사랑하여 결혼했는데 이혼율이 높아지는 것은 정말 안타깝다. 수십 년을 살다가도 이해하지 못하고 벽에 부딪혀 황혼이혼과 졸혼을 하는 경우를 종종 본다. 사랑의 언어가 달라서 느끼고 이해되는 정도의 차이가 났기 때문이다. 남편이 장미 한 송이를 들고 올 때 사랑을 느끼는 여인이 있지만, 금반지, 다이아몬드 보석으로 만든 목걸이를 선물 받을 때 사랑받는다는 마음을 갖는 여자도 있다. 그런가 하면 말없이 음식물 쓰레기를 버리고 오는 남편에게 고마움을 느끼는 사람도 있다. 사랑의 언어가 막히면 평생 고통의 벽을 바라보면서 서러움으로 맺힌 한을 달래며 살아야 한다. 부부간에도 사랑하는 방법과 소통의 묘미가 따로 있다.

휴전선을 따라 동해 바닷가로 내려갔다. 백사장에 있던 갈매기 두 마리가 날아오른다. 동물의 사랑 언어는 또 다르다. 바닷가 수컷 갈매기는 예쁜 조약돌을 서너 개 암컷 옆에 내려놓는다. 그러면 암컷은 사랑의 고백으로 깨닫고 달콤한 시간을 함께 보내게 된다. 가을밤 반딧불이는 반짝거리는 불빛으로 사랑 노래를 부른다. 짝을 찾기 위해 동서남북으로 춤춘다.

우리 마음의 장벽들을 허물고, 고통과 슬픔의 벽 그리고 이별의 아픔을 강물에 흘려보내고 싶다. 동녘에 찬란하게 떠어오르는 태양의 붉은 물결이 넘실넘실 가슴에 밀려온다.

딸 부잣집

진달래 연분홍 꽃이 산을 불태운다. 그해 봄날도 파란새싹들이 연두색으로 천지를 물들이고 있었다. 우리는 세 딸들과 함께 교회를 갔다. 반가운 만남으로 인사를 나누고 '코이노니아'를 하는 동안 딸들이 재롱을 부리며 마당에서 뛰놀고 있었다. 나이가 지긋한 어른이 물끄러미 바라보시더니

"딸만 있으신가요?"

"예, 딸부자예요"

"아들을 하나 더 낳으셔야겠네요."

"딸 셋으로 만족하며 잘 키우기로 했어요."

우리 부부는 간단명료하게 대답을 했다.

아지랑이가 모락모락 피어오르는 오후 중앙공원 꽃밭으로 나들이를 갔다. 그곳에는 할아버지 할머니들이 벤치에 앉아 구수한 정담을 나누며 쉬고 계셨다. 우리 아이들이 꽃들과 이야기하며 나비를 쫓아다니는 걸음걸이가 귀여웠던지 안아주며 과자를 주신다.

그런데 이어서 "딸들만 있네, 대를 이을 아들은 있어야지"하고 쯧 쯧 혀를 차시는 거다. 아들이 뭐길래 그리도 바라고 기다린단 말인 가. 집에 돌아와서 아내가 말한다.

"우리도 아들 하나 낳아 볼까?"

"정말이야?"

"간절히 원하면 이루어진다 했어요."

아들을 낳으려면 남자와 여자의 체질을 바꾸는 것이 필요하다 들었기에 의원을 찾아갔다. 한의사가 진맥을 하면서 대뜸 어느 때 잠자리를 했느냐고 묻는다. 직장 일에 바쁘고 피곤하여 주로 일찍 잠을 잔다 했더니 "그러니까 딸만 낳지" 퉁명스럽게 말을 던진다. 지어주는 약을 먹고, 동트는 아침에 여자를 애달게 한 후 관계를 가지라고 한다. 그러면서 그동안 약을 지어 먹고 아들을 낳았다는 이름을 기록한 두툼한 노트를 보여 준다. 시키는 대로만 하면 틀 림없이 아들을 낳을 거라고 장담하며 처방 약봉지를 건네준다. 집 으로 돌아오는 길에 봄바람 따라 잔물결이 살랑거리는 대청호를 걸었다. 문득 너는 사주에 아들이 있다고 하신 어머니 말씀이 생 각났다.

한약을 먹은 후 여러 달 지나 염원하던 만남을 가졌다. '출산드 라'라는 별명을 가진 아내는 임신을 하였고, 배가 점점 불러왔다.

"여보 나를 뒤에서 불러봐요. 고개를 오른쪽으로 돌리면 아들이 고 왼쪽으로 돌리면 딸이래요."

"유두 부근에 돌기가 여러 개 나오고 배꼽 줄이 진하게 나타나면 아들이라는데 보세요."

한다. 딸을 낳을 때와는 다르게 보였다. 태아의 움직임과 산모 건강을 체크하기 위해 병원에 갔다. 나의 가족 사항을 확인한 간호사는 동그랗게 눈을 치켜뜨고 "아저씨! 돈 많이 벌어 놨어요?" 하며 웃는다. 왜 이렇게 많이 났느냐고 하는 듯하다. 말 없이 빙그레 웃기만 할 뿐이다. 그 시절 우리나라 가족계획은 "아들딸 구별 말고 둘만 낳아 잘 기르자" "둘도 많다. 하나만 낳고 잘 기르자"는 거였다. 자식을 넷씩이나 낳다니? 미개인 취급받던 때였다. 초음파로 태아의 움직임을 보던 의사는 "아이가 건강하네요 그런데 크기가 좀 작은 듯 싶군요, 바지와 저고리 준비하셔야 겠어요"한다. 아내는 가벼운 걸음으로 집에 돌아와서 몸을 소중하게 다루며 산모체조를 하며 지냈다.

교무실에서 오후수업 준비를 하는데 전화가 왔다. 아내가 출산 기미가 보여 병원으로 가고 있다는 것이다. 이미 셋이나 출산을 했기 때문에 자궁문이 쉽게 열리고, 빨리 낳을 것이라 생각했다. 그러나 퇴근 시간이 되어도 소식이 없어 궁금하기 그지없었다. 병원으로 가는 도중에 '또 딸인가? 서운하여 출산 소식을 알려주지 않은 걸까?' 하는 생각이 들었다. 분만실 앞 메모판을 보니, 아들인지 딸인지 출생표시가 없다. 아직도 태어나지 않은 거다. 진통은 계속되는데 자정을 넘어서도 아기가 나오지 않고 있다. 내가 낳을 수 있다면 차라리 대신 낳고 싶다는 생각까지 들었다.

새벽 두 시 종소리가 울린다. 복도 끝에서 기다리고 있는데 보호자를 찾는다. 병실은 너무도 조용했다. 또 딸이구나! 마음 졸이며 복도를 걸어가는 기다림은 십 년 세월처럼 길었다. 간호사가 아기를 안고 나와서 "4.2kg, 정상 분만 했어요. 그리고 작은 목소리로 아들이에요" 속삭인다. 순간 가까이 있던 지인들 모두가 박수를 치고, 환한 웃음을 지으며 함께 기뻐해주었다.

분만실에 있는 아내는 열두 시간이 넘도록 진통을 하였기에 이마에 땀방울이 맺혔고, 가운은 흠뻑 젖어 있었다. 왕방울 눈을 갖고 태어난 늦둥이는 신생아실에서 가장 큰 아기였기에 '애기반장'이라 불렸다. 아들이 세상 밖으로 나왔다는 소식을 들은 아내는 해산의 고통도 잊고 빙긋 웃는다. 이것이 어머니의 위대함인가? 그동안 가슴앓이 했던 한이 풀리는지 조용히 잠이 들었다.

인구 데드크로스(dead cross) 시대를 맞은 우리나라는 학생 수, 산업 일꾼이 급감하고 나라를 지킬 군인마저 부족한 실정이다. 이대로라면 수백 년 후에는 소수민족이 되어 지구상에서 없어질 종족이 될지도 모른다. 돌이켜보니 1남 3녀를 둔 내가 애국자다. 불혹을 넘은 나이에 태어난 늦둥이 아들과 유난히 사이 좋은 세딸들이다. 딸부잣집은 언제나 웃음소리 가득하다.

골목길

돌담길 따라 모퉁이를 돌아섰다. 담자락에 민들레가 방긋 웃는다. 파아란 양철대문 앞에 삽살개가 꼬리를 흔들며 나온다. 지난날 학창 시절 자취를 하던 집이다. 삐그덕 대문을 열고 주인아주머니를 찾았다. 방문턱에 팔을 괸채 안경너머로 힐끗 나를 쳐다본다. '안녕하세요' 인사를 하였더니 이게 누구야? 건넌방에서 공부하던 학생 아닌가. 놀라움 반 반가움 반 안면에 웃음이 가득하다.

골목길을 걸으며 외로움과 그리움을 달랬던 추억이 떠오른다. 저녁 하교길에 이층집에서 여학생이 '소녀의 기도'를 피아노로 연주하면, 돌담 옆에서 끝 날 때 까지 듣고 나서야 집으로 돌아오곤 했다. 아름다운 사람의 꿈도 꾸었고 배고픔에 허기를 물로 채우며 밤늦도록 만학의 세계를 걷기도 했다.

그날도 연탄아궁이에 밥을 데우고 된장국을 끓이려고 했다. 쇠고랑으로 연탄통을 끌어내고 보니 하얗게 재만 남았다. 방은 을싸냉하다. 우리 집 연탄불이 왜 자주 꺼져 있는지 이유를 알 수가 없다. 숯불을 붙여서 검은 연탄구멍을 맞추면, 검은 연기가 부엌 밖으로 피어올라 하늘을 향해 날아간다. "학생 연탄불이 꺼졌구먼, 우리 집 아궁이에서 불씨를 가져가게나." "괜찮아요 금방 불이 붙을 거예요." 불이 빨리 붙도록 부채질을 해댔다. 숯불에서 뿜어져 나오는 연기가 매워 눈물이 났다.

책상에는 빈 노트와 볼펜 한 자루가 나뒹굴고 있다. 전등불을 켜고 테이블 앞에 앉았다. 어머니는 시장난전에서 채소를 팔고 계셨다. 태어난 장소와 부모의 만남에 따라 어떤 이는 풍요롭게 살고 누군가는 가난의 설움에 흐느껴야 하는가. 아무것도 할 수 없는 사춘기 소년은 세상이 원망스럽고 불만스러운 마음뿐이다. 창밖에 떠가는 먹구름은 달빛도 가리웠다.

문밖에서 물건이 세차게 내동댕이치는 소리가 들린다. "야 이놈아! 집에 먼저 왔으면 연탄불이라도 피워 놓았어야지" 하며 나무라신다. 어머니가 시장에서 돌아오신 거다. 하루 종일 장사를 하느라 점심도 제때 먹지 못하셨다. 밥을 지으려고 아궁이에서 불을 지피려니 짜증이 나셨나보다. 옆방에 세 들어 사는 노처녀가 한마디 거든다. "아이구 할머니 순진한 학생이 뭘 알겠어요?" "우리 집 된장찌개와 마른반찬 조금 있어요. 조금 가져다 드세요." 한다. 자존심이 강한 어머니는 대답도 하지 않고 나를 밖으로 불러낸다. 나는 멱살을 잡힌 채 뒷골목으로 끌려갔다.

"그래 공부만 하면 다냐?

비가 이렇게 오는데 마중이라도 나오면 어느 하늘 벼락칠까?"

등짝을 후려친다. 무어라 할 말이 없었다. 서로 배려하고 돕는 것이 가족인데 나의 배고픔에 속상해 하고만 있었으니 말이다. 철없는 나의 행동이 더욱 원망스러웠다. 그날 밤은 몹시도 길었다. 잠을 뒤척이며, 고단한 삶의 아픔을 곱씹어야만 했다.

돌담길을 휘돌아서 가로등아래 우두커니 서서 어른이 될 꿈을 그려보았다. 손에 가진 것도 없고, 든든하게 지원해줄 뒷 배경도 없다. 무엇 하나 잘하는 것도 보이질 않고 재능도 없다. 그냥 막막하기만 했다. 등대가 보이지 않는 바다에서 돛대가 부러진 배가 항해하는 듯 답답한 심정이었다.

도서관에서 공부를 하다 터덜터덜 걸어오던 길이다. 골목길 모퉁이에서 아름다운 선율의 피아노 소리가 들려왔다. 이층집 창문에 긴 머리를 한 여학생이 베토벤의 운명 곡을 연주하고 있는 그림자가 보인다. 한참동안 꿈속을 헤매는 것처럼 넋을 잃고 들었다. 안단테로 시작하여 메조포르테를 지날 때는 가슴이 쿵쾅거렸다. 새로운 꿈과 소망을 던져 주는 듯 했다. 연주가 끝났지만 골목길엔 나 홀로 서있었다.

해가 뉘엿뉘엿 저물어가는 저녁 때 돌담길을 따라 집으로 들어왔을 때다. 청국장을 끓인 구수한 냄새가 코를 자극한다. 연탄불이 아궁이 밖으로 꺼내져 있고, 그 위에는 이름 모를 청국장 냄비가 올려져있는 것이 아닌가. 주인집 아주머니가 낮에 몰래 사용하는 바람에 연탄불이 자주 꺼지게 됐다는 사실을 그때서야 알게 된 것이다. 가슴에 응어리가 치밀어 올랐다. 그 날 밤 달은 유난히 밝게 떠올랐다. 앞집 창 너머로 젊은 청춘들의 노래 소리와 흥이 돋우어진 소프라노 소리가 흘러 나왔다. 정말 부러웠다. 함께 동행 하고 싶지만 따라갈 수가 없다. 땅거미가 다가오는 골목길엔 희미한 가로등 불빛이 들어왔다.

이 골목길은 나에게 가난의 아픔을 느끼게 했고, 연인의 사랑을 꿈꾸게 했다. 어머니의 사랑에 눈물지으며 외로움을 떨쳐 버린 추억의 앨범이 있는 곳이다. 다시는 돌아 갈 수 없는 인생의 강에서 고독과 아픔을 되새겨 본다. 골목길을 돌아서는 길엔 마른 바람이 옷깃을 스며든다. 하늘엔 살빛 낮달도 엷은 미소를 지었다. 또다시 걷고 싶은 길이다. 앨범 속에 추억의 한 장을 꼽아 놓는다. 돌담길 아래 제비꽃이 보랏빛 몸짓으로 작별 인사를 한다.

입관 入棺

고향은 늘 그립다. 내 마음을 받아주는 엄마 품 같아서 언제든 가고 싶다. 정들었던 교실, 운동장 그리고 나무와 꽃들이 피어있는 모교 화단을 찾아보고 싶었다. 교단에서 긴 시간을 보내고, 교육행정을 맡아서 일하다가 3월 모교로 발령이 나는 기쁨을 갖게 되었다. 학교 다녔을 때는 한 학급에 60명씩 9개 학급으로 학생들이 많이 있었는데 어느덧 4학급으로 줄어들고 있었다.

신입생들이 입학식을 하는 날 학부모와의 만남 시간을 가졌다. 학교 운영 방향과 자녀교육에 대하여 상담하는 시간이었다. 한 학부모가 "우리 집 아이가 밥과 반찬 투정을 자주 하며, 사춘기에 접어들어서 고민이다. 동굴 속에 틀어박혀 방을 나오지 않는다"고 하소연한다. 어려운 생의 맛을 체험하게 할 필요가 있겠다는 생각이 들었다.

전교생 체험활동 장소를 음성 꽃동네 마을로 결정했다. 버스로 한 시간 정도 걸린다. 입구에 '얻어먹을 힘만 있어도 나는 행복합니다.'라는 글귀가 쓰여 있었다. 학생들에게 병실을 청소하게 한 후 점심식사를 하도록 돕는 시간을 가졌다. 백혈병이 걸린 환자는 면역체계가 깨져 눈은 퀭하고, 뼈만 앙상하여 미라를 보는듯했다. 밥을 입에 넣어 주면 반은 흘리고, 힘들게 먹는 모습이 얼마나 측은한지 모른다. 반찬 투정을 할 여지가 없다. 아이들의 눈가에 살포시 적셔지는 눈물이 더욱 감동적이었다.

오후에 입관 체험을 했다. 나도 함께 이 프로그램에는 참여했다. 그 방에는 조용한 음악이 흘러나왔고 촛불로 어둠을 밝혔다. 검은 관들이 놓여 있는 주위에는 죽음의 사자를 의미하는 검은 옷을 입은 사람들이 앉아 있었고, 관속에 들어가면 뚜껑을 닫고 나무망치로 못을 쾅쾅 박는다. 관 속에서 눈을 감고 있노라니 캄캄하고 아무것도 보이질 않는다. 이제 무덤 속으로 들어가게 되는구나! 순간 지나온 짧은 생애의 장면들이 파노라마처럼 스쳐 간다. 잘못 산 것들만 떠올랐다. 어찌된 일인가? 사랑했던 아내 얼굴도 보이지 않고, 생명처럼 여겼던 자녀들 이름조차 떠오르지 않았다. 이곳저곳에서 흑흑 우는 학생들의 울음소리도 들린다. 체험 시간이 끝나고 문밖을 나온 학생들은 먼 하늘을 바라보면서 아무 말이 없다. 눈으로 가슴으로 통하는 것 같다.

캠프 화이어 할 때 간단한 장기자랑 할 것을 팀별로 과제를 주어 준비하게 했다. 이방 저방 조별 노래와 춤을 준비하며 악기를 연주하는 소리들로 시끌벅적 하다.

어둠이 내려앉을 무렵 모닥불을 운동장에 피워놓고 기타를 치며 흥겹게 손뼉을 치면서 노래를 합창하는 젊은이들의 열기는 호랑이가 포효하듯 가슴에 뭉쳐있던 마음을 뿜어내고 있다. 선생님들도 질세라 70년대 교복을 입고 짠짜라를 부르며 춤을 추는데 아이들은 그게 우습던지 박장대소를 한다. 즐거운 시간을 보내고 숙소에 들어가면서 잠들기 전 과제를 주었다. 관 체험을 연상하면서 유서를 써보라는 것이다.

테이블에 흰 백지와 볼펜을 올려놓고는 정성스럽게 무릎을 꿇고 앉았다. 구구절절 써야할 말이 생각나질 않는다. 유산은 어떻게 물려주고, 세상의 명예와 욕심을 쌓으려 했던 수많은 일들이 전혀 떠오르지 않았다. 단 한 줄의 글귀조차 기록하기 어려웠다. 얻어먹을 힘도 없어 아파하고 고통을 겪는 꽃동네 환자들의 얼굴이 눈앞을 가렸다. 아무것도 가져갈 수 없는 이 땅의 것을 그토록 탐내며 살아왔던 모습이 한없이 후회 되었다. 다만 서로 사랑하라 그리고 사랑하라 한 줄을 써 놓고는 엎드려 흐느끼며 울었다.

체험활동을 마치고 돌아온 후 학생들이 변했다. 시무룩했던 학생이 밝게 웃으며 콧노래를 흥얼거린다. 평소 콩을 골라 먹던 습관도 버리고, 부모님에 감사하다는 고마움을 표현하는 자세로 바뀌었다는 것이다. 교실 수업시간이 정숙하고 진지해져 선생님들이 가끔 섬짓해 진다고 한다. 백문이 불여일견(百聞而不如一見)이다.

젖은 손

생명이 있는 것은 보드랍고 따뜻하며, 생명이 없는 것은 거칠고 딱딱하다. 우리 몸은 쌍으로 구성되어 있다. 눈과 귀, 손과 발, 젖가슴과 콧구멍, 콩팥까지 두 개다. 튀어나온 곳이 있으면 움푹 들어간 곳이 있고, 하나인 듯한 심장도 좌심방과 우심방으로, 위는 분문부와 유문부로 나뉘어 있다. 골반은 좌우가 대칭이며 균형을 갖추어야 보기 좋고, 건강을 유지 할 수 있다. 남자와 여자의 음양 구조도 마찬가지다. 손과 발에는 우리 몸의 신경말단이 분포되어 있고 감각이 예민하다. 사람을 뜻하는 글자 인(人)이 만들어진 과정에서 보듯 혼자서는 절대 설수 없다. 둘이 서로 단단히 받쳐줘야 바로 설 수 있다. 음양의 조화를 잘 이루어야 온전한 가정을 만들 수 있는 거다.

전원주택을 짓고 잔디밭을 만들 때의 일이다. 아내는 입구부터 현관까지 들어오는 길을 모래로 바닥을 편평하게 한 후 돌판을 보기 좋게 놓았다. 한나절이 걸려서 라운드형으로 정리하고 나서야 허리를 펴서 앉을 수 있었다. 그런데 아내의 검지손가락이 옆으로 굽어 있다. 무거운 돌판을 들고 좌우로 맞추며 애쓰다가 손마디 관절에 무리가 간 모양이다. 꼭꼭 주물러주어도 쉽게 펴지지를 않는다. 남자들이 해도 힘든 작업을 연약한 손으로 일한 탓이다.

매일 음식을 만들고 빨래를 하며 물걸레로 방 청소를 하는 주부들은 손에 물 마를 날이 없다. 남자들이야 직장생활을 하고 돈 벌어오는 것으로 책임을 다했다고 어깨를 펴지만 여자들은 해도 해도 끝이 없는 집안일로 땀 흘리며 살고 있다. 그러고도 식탁에 앉아 밥투정과 반찬 투정을 받아주어야 하고, 자녀들의 뒤치다꺼리에 여념이 없다. 거칠어진 손등에 크림 한번 제대로 바르지 못하고 보내는 세월에 쭈굴쭈굴 잔주름으로 가득하다.

세 딸을 모두 시집보내고 이제는 집에서 편안하게 쉴 때가 되었다. 그런데 눈은 점점 희미해져 바늘귀조차 찾기 어려워졌다. 바늘귀를 꽂으려 하면 몇 번이고 바늘에 실을 갖다 대고 씨름을 하는지 모른다. 끝내 늦둥이 보고 부탁해서 바늘귀에 실을 넣어주어야만 바느질을 시작할 수 있다. 내 어머니의 모습이 오버랩된다. 잠시도 멈추지 않고 가는 무정한 세월이 한없이 야속하기만 하다. 귀밑머리에는 흰 머리카락이 늘어나고 이마엔 굵은 주름이 생겼다. 젊을 때 그 곱던 얼굴이 희미한 그림자로 지워져 가고 있다. 다시 돌려받고 싶은 마음 간절하지만 돌릴 수가 없다. 풀에 이슬이 걷히고 꽃들이 시들어가듯이, 우리 인생의 발자취도 세월의 뒤안길로 사위어가는 모습이 쓸쓸하기만 하다.

"여보 고생했소!" 두 손을 살며시 잡아보았다. 아무 대꾸도 없이 두 볼에 흐르는 눈물이 옷깃을 적신다. 저승에 갔다 다시 태어나도

이 사람과 인연을 맺고 싶다던 손이 바르르 떨리고 있다. 어깨의 흔들림이 가슴에 고동치듯 울려왔다. 조용히 눈을 감고 두 팔로 안 아주며 토닥였다.

비타민인 손주들이 아장아장 걸어온다. 재잘재잘 이야기하는 소리가 귀엽고 사랑스럽기만 하다. 분신 같은 또 다른 생명의 싹이 움터오는 것이기 때문일는지도 모른다. 젊음은 참 좋은 거다. 돈으로도 살 수 없고, 힘으로 능으로도 어떻게 만들 수 없지 않은가. 세월은 청춘을 돌려주지 않는다. 다시 돌아갈 수 없음이 안타깝기만하다. 삶의 지혜와 고생한 연륜이 쌓이고, 산 너머 찾아오는 애환을 살펴볼 수 있음은 노익장의 또 다른 힘이다.

40여 년 부부의 세월을 마주한다. 행주치마에 손을 닦으며 오는 젖은 두 손을 꼬옥 잡아본다. 못다한 말들이 내게 남겨 있지만 아픔 마음에 목젖이 뜨거워져 말을 잇지 못했다. 오랜 세월 잊었던 눈물이 솟고, 등이 휠 것 같은 삶의 무게가 가슴에 내려 앉는다. 안타깝지만 헛 산건 아니다. 아무 말이 없어도 전율이 통했다. 이심전심 가슴으로 통하는 찌릿찌릿한 사랑의 언어다.

해바라기 사랑

요란하게 울리는 핸드폰 속에서 장모님의 다급한 목소리가 들린다.

"아버지가 가슴이 터지게 답답하다며 거실에 누워계신다. 좀 이상하구나. 네가 와서 아버지 병원 좀 모시고 가거라."

"엄마! 해피콜이나 119를 불러서 병원으로 빨리 가셔요. 저도 지금 출발할게요. 승용차로 가려면 한 시간 이상 걸려요."

우리 부부는 초가을 물김치를 담그려고 마늘을 까던 참이었다. 급히 가려고 대충 정리를 하고 있을 때 전화가 또 왔다.

"119 응급대원입니다. 집에 도착해보니 할아버지께서 이미 호흡 정지 상태입니다. 심폐소생술을 시도할까요? 이로 인해 갈비뼈가 부러질 수도 있고, 발생하는 그 문제에 대해 인정하시겠습니까? CPR을 시도하면서 아산병원으로 이동 하겠습니다. 병원으로 오십시요."

아산병원으로 달려가는 동안 아내의 눈에서 눈물이 소나기처럼 흘러내렸다. 아버지의 사랑을 듬뿍 받아온 딸이라 더욱 가슴이 타

들어 가는 모양이다. 세종시를 거쳐 풍세면을 지날 즈음 전화벨이
또 울린다. 이번에는 아산병원에서 온 전화다.

"보호자 큰따님이십니까? 응급의학과 의사입니다. 병원에서 30
분 이상 심폐소생술을 시도했는데도 회복되시지 않는군요. 마음의
준비를 하고 오시는 것이 좋을 듯합니다."

장인어른은 그렇게 87세 나이로 이 세상과 이별을 고하셨다. 보
릿고개 시절을 온몸으로 겪었고, 뜨거운 열대 사우디아라비아 건
설 현장에서 젊음을 불태우셨다. 한국에 돌아와서는 4남매를 키우
느라 손마디마디 연골이 닳아 굽을 정도로 일하셨다. 이른 아침 제
일 먼저 가게 문을 열고 옷과 가방을 정리하며 마당과 실내 바닥
청소를 하셨다. 무더운 여름날과 흰 눈이 소복소복 쌓인 겨울에도
하루 일과는 변함이 없었다. 안산으로 가게를 옮긴 후에도 딸과 아
들을 시집 장가를 보내느라 장모님과 함께 밤늦도록 부지런히 일
하셨다. 팔순이 넘도록 무던히 흘러간 세월은, 허리를 굽게하고 얼
굴에는 잔주름만 남겼다.

장인어른이 팔순 되시던 해에 장모님은 허리 디스크로 인해 다
리에 통증이 심하여 걸을 수조차 없었다. 척추뼈 사이 연골이 망가
져서 신경을 누르기 때문에 다리와 발가락이 저려왔다. 가족 구성
원들 간에, 나이가 많은지라 참고 견디며 사는 편이 낫다는 의견과
수술을 해야 한다는 견해가 분분했다. 그러나 고통을 겪는 것보다
는 잠시라도 편안하게 사는 편이 좋겠다는 생각으로 대학병원에서
척추디스크 수술을 했다. 그런데 이게 웬일인가? 당뇨로 인한 염
증이 심해 폐렴이 발생했고, 중환자실에 입원하게 된 것이다. 여러
번 죽을 고비를 넘기는 애달픈 시간도 있었다. 출가한 자식들은 멀

리 살고 있어서, 밤새워 장모님 곁을 지킨 분은 팔순이 된 장인어른이셨다. 장기간 병상의 생활로 장모님은 근육이 마르고 다리에 힘을 잃고 있었다. 이토록 어렵게 사투를 벌인 장모님이 과연 걸으실 수 있을까? 의문이 들었다. 휠체어를 타고 화장실을 가야 했고, 보조 케어 장치를 한 끌개를 의지하여 병실 복도를 걸어 다니셨다. 한 숟가락씩 죽을 떠서 입에 넣어주고, 손수건으로 입가에 흘러내린 국물을 닦아주는 장인어른의 애틋함은 영화의 한 장면 같았다.

"여보! 당신은 꼭 살아야 하오."

가슴 절절한 사랑의 고백이 이루어지며 쪽잠으로 병실을 지키시는 순애보는 병원 내에 소문이 날 정도였다.

아내 수발을 하려고 장인어른이 요양보호사 자격증까지 따 두었던 그 깊은 마음이 자식들의 마음을 울렸다. 아내와 친구처럼 건강하고 행복하게 보내고픈 마음이 더욱 간절했고, 자신을 믿고 평생을 살아온 아내를 꼭 지켜주고 싶은 사랑뿐이었다. 외출 하려고 집을 나설 때는 무릎을 꿇고 신발을 신겨주며, 운동화 끈을 매어주는 모습은 젊은 연인들보다 정겨워 보였다.

해바라기는 해를 바라보고 꽃을 피운다. 망부석처럼 한 곳만 향해 서 있고 고개를 숙인다 하여 Sunflower(해바라기)라고 한다.

"당신을 사랑합니다. 당신만을 사랑합니다."

고백이 없어도 노부부의 끈끈한 사랑은 보는 이로 하여금 가슴을 먹먹하게 했다. 사시사철 따뜻한 지하수가 나오는 온천물에 몸을 담그고나면 잠이 잘 온다며 온양온천 가까이 보금자리를 옮기셨다. 매일 따스한 온기를 느끼며 늙어간 노년의 사랑은 더욱 깊어만 갔다. 다시 태어나도 당신과 결혼하겠다는 잉꼬부부의 고백을 들으면 흐뭇하기도 했고 부러웠다.

　이 세상에 태어난 것도 축복이지만, 세상과 이별할 때 긴 시간 고통과 아픔을 겪지 않고 떠나는 것 또한 더욱 복된 것이다. 지금쯤 장인어른은 눈물과 고통이 없는 하늘나라에서 별이 되어 지켜보고 계실 것이다. 오랜 시간 침대에 누워서 병수발로 아내를 고생시키지 않으려고 그렇게 빨리 가셨나보다. 해바라기 사랑처럼 익어간 노년의 삶이 자녀들의 가슴을 훈훈하게 덥혀주었다. 지고지순한 그 사랑은 우리 가슴에 잔잔한 파문을 일으켰다.

　장모님은 장인어른께 이승에서의 마지막 인사를 하신다. "나도 당신이 가는 길을 따라 갈거야!"하며 밤 깊도록 타 들어가는 촛불을 바라보신다. 장모님의 눈가를 소리 없이 적시는 밤이다. 잎도 없이 피어난 빨간 꽃무릇처럼 미소짓는 영정과 마주친 큰딸의 두 볼도 붉게 물든다.

사랑의 원자탄

무엇을 하며 살아가야 하는가? 오래도록 생각하다가 딜레마에 빠졌다. 삶의 목적이 희미해지고 의욕이 상실되어 침울한 시간을 보내던 중 친구가 찾아왔다. "여행을 떠나라!" 삶의 분위기를 전환시키며 새로운 만남과 깨달음을 주는 기회가 될 것이라 권면해 주었다. 호남선 비둘기호 밤 열차를 타고 여섯 시간 가까이 걸려 여수 애양원을 찾았다. 이곳은 나병에 걸린 환자들이 사는 곳이다. 나균은 사람의 연골 부분을 썩게 만들어 죽게 한다. 대부분 손가락과 발가락 마디, 코, 귀가 문들어지고 눈을 실명하기도 한다. 접촉을 하면 상처를 통해 다른 사람에게도 전염된다. 중증일 때는 소록도 섬에서 치료를 받는다.

할아버지 바이블 스터디반 모임이 있다고 해서 찾아갔다. 이 방에는 소록도에서 어느 정도 치유를 받고 생활할 수 있는 분들이 기거했다. 손과 귀는 오그라들고 움푹 패인 눈은 보기에도 민망할 정도였고, 입은 삐뚤어져 음식을 제대로 먹을 수가 없다. 엄지와 검지 사이에 수저를 끼워서 밥과 국을 떠먹는 모습은 싸한 감정을 넘어 충격이었다. 청주에서 온 김선생이라고 소개를 시켜주어 큰절로 인사를 했다. 대표분께서 성서를 읽어 달라고 해서 몇 구절을 찾아 읽었다. "잠깐 그곳을 다시 읽어 주세요" 한다. 내가 틀리게 읽은 부분이 있었기 때문이다. 이분들은 눈이 보이지 않기 때문에 귀로 듣고 매일 외워서 잘 알고 있었던 것이다. 순간 쇠망치로 맞은 듯 충격을 받았다. 두 눈을 뜨고도 틀리게 읽고 있다니 창피한 생각까지 들었다. 멀리서 방문했다고 환영하는 마음으로 하모니카를 연주했다. 손가락 없는 손목으로 받쳐 들고 어깨춤을 추며 부는데 한없이 행복해 보였다. 멀쩡한 두 눈과 손을 갖고 건강한 몸으로 불평하며 살아왔던 내 모습이 너무 초라하고 부끄러웠다.

옆방에서 한쪽 다리를 붕대로 감고 있는 할아버지를 만났다. 어찌된 일이냐고 물었더니 추운 겨울밤 잠을 자던 중 다리를 스팀보일러에 걸치는 바람에 데었다는 거다. 뜨거워도 감각이 상실되어 살이 데이는 것을 느낄 수 없었단다. 처음 일 년 정도는 가족들이 자주 찾아왔지만 지금은 소식이 없단다. 할아버지가 살고 있는 집으로 안내하여 따라 갔다. 앞이 보이지 않는데도 좁은 골목길을 돌고 돌아 잘 찾아가는 모습은 놀라웠다. 닭을 키우고 벼농사도 지었다. 퇴비를 지게에 지고 논에 정확하게 부어 넣고 온다고 했다. 사람의 가능성이 이토록 무한한 줄 정말 몰랐다. 돌아오는 길에는 농사지은 것이라며 계란과 시금치를 싸 주셨다. 바닷가 바람을 맞고 자란 것이라 고소하고 달콤하며 맛있단다. 도움을 주는 것이 아니라 오히려 사랑의 선물을 받고 나오는데 진정한 부자의 의미가 가슴에 새겨진다.

작은 동산을 지나올 때 찬바람이 불어온다. 그곳에는 손양원 목사님과 두 아들 동인, 동신의 묘가 있었다. 그분은 자기 두 아들을 때려죽인 동료학생을 용서해주며, 그 사람을 양아들로 삼았다. 경제적으로 어려운 가정임에도 대학교 공부를 하게 했고, 결혼까지 시켜 주었다. 또한 한센병에 걸린 환자들의 고름이 냄새 나며 더러움에도 불구하고, 무릎을 꿇고 입으로 빨아 준 진정한 사랑을 한 분이다. 나는 고름이 좋아(I like the pus)' 할 수 있을까? '좋아(like)'로는 절대 불가능하다. 사랑(love)하기에 입으로 빨아 준 무조건적인 사랑을 실천한 분이다. 뭇 사람들은 이분께 사랑의 원자탄이라는 별칭을 지어주었다. '너를 사랑해!'란 말을 들으면 부끄럽거나 창피한 것이 아니라 숭고해지고 아프며 겸허해진다. 끝없이 덮어주고 용서하는 사랑의 눈물로 얼룩진 곳이 바로 여수 애양원이다.

애양원에서 외롭고 아픈 환자들을 일평생 섬기며, 쳐녀로 사시는 분을 만났다. 그분은 매일 방청소와 빨래를 해주고, 음식과 반찬을 만들어 주었다. 손과 발을 씻겨줄 때마다 환자들의 행복이 나의 행복이고, 환자들의 아픔이 나의 아픔이었다고 고백하는 희생과 헌신에 머리가 숙연해 졌다. 그동안 쌓였던 사랑 깊은 이야기를 밤새워 들었다. 인생의 진정한 보람이 어떻게 사느냐가 중요한 것인가를 깨닫게 했다.

오늘 하루가 지나면 내일이 또 오겠지 하는 일상적인 삶을 살아왔다. 아무것도 해보지 않고 실패하는 사람도 있지만, 위대한 일을 해보고 그 결과를 조물주에게 맡기며 성공적인 삶을 사는 사람도 있지 않은가. 내게 닥친 어려운 일들을 보고 부정적인 눈을 뜨면 한없이 막막하기만 했다. 이제부터는 매순간 기적이 일어날 것처럼 살아야겠다는 생각을 했다. 난공불락 같은 일도 할 수 있다고 생각해보니, 해결할 수 있는 방법과 길이 보였다. 그동안 근시안적으로 살아온 인생의 길에서 새로운 이정표를 만드는 것 같다. 멀리 지평선을 바라보며, 새롭게 꿈꾸는 사람이 되고자 다짐하는 여수 밤바다는 한없이 아름다웠다.

동지팥죽

    일 년 중 밤이 가장 길고 낮이 가장 짧다는 동짓날이다. 오늘을 계기로 낮이 다시 길어지기 시작하니 사실상 새해를 의미하는 날이라 해도 무방하겠다. 선인들은 동지를 경사스러운 날로 여겨 작은설이라 했고, 동짓날 팥죽을 먹어야 한 살 더 먹는다고 했다. 팥죽을 끓일 때 새알심을 만들어 넣었는데, 새알심 하나마다 나이를 부여하여 가족들의 나이 수만큼 넣었다.

    그런데 나는 동짓날 팥죽을 먹으려면 성경 인물 '에서'와 나의 큰형님이 함께 떠오른다. 에서는 팥죽 한 그릇에 쌍둥이 동생 야곱에게 장자권을 넘겼다. 에서가 사냥터에서 돌아왔을 때 배가 너무 고팠다. 마침 붉은 팥죽을 쑤고 있는 동생에게 조금만 달라고 했다. 그랬더니 야곱이 장자의 권한을 팥죽과 바꾸자고 했다. 에서는 지금 배가 고픈데 장자가 대수냐 했는지 그러자고 말해버렸다. 농담 같은 이 일이 형제 인생을 바꾸어 버렸다.

    이 사건은 야곱을 편애했던 어머니 리브가의 계략이었다. 당시

이스라엘에서는 아버지가 죽기 전에 장자에게 축복 기도를 해주는 전통이 있었는데, 이건 보통 의식이 아니다. 장자는 아비 뒤를 승계하여 가문의 대소사를 처리하는 주도권은 물론, 유산도 다른 형제보다 두 몫을 분배받고, 영적으로 축복의 후계자가 된다. 엄마 리브가는 야곱이 그 복을 받기를 원했던 것이다. 식솔들로부터 존경과 부러움을 받는 축복권을 갖고 수많은 양과 소를 거느리고 초원을 달리는 상상을 해보자. 막대한 유산을 기반으로 가문을 번창시키는 것보다 보람된 일이 있을까. 그러나 순리를 거스른 어미의 잘못된 편애와 형의 복을 가로챈 동생은 그 대가로 불행이 드라마처럼 펼쳐지는 긴 삶을 산다.

영화 같은 이야기는 그 나라 이야기고, 우리 집의 실상은 달랐다. 전쟁 후에 태어난 나는 지독히도 가난한 시절을 겪었다. 내가 본 맏아들들은 희생하는 자리였다. 먼저 태어나다 보니 일손이 부족한 부모를 도와 힘써 일을 해야 했고, 그 소득으로 자신이 아닌 동생들을 가르쳤다. 다 그런 건 아니지만 대다수 집안 큰아들과 큰딸은 희생하는 자리였다. 우리 집안도 큰형님이 희생하셨다. 누구처럼 물려받은 대단한 유산이 있는 것도 아니면서 큰형님은 어머니를 도와 돌아가신 아버지 자리를 감당해야 했다. 그리고 긴 세월 어머니를 모셨다. 젊은 날 아내와 나는 맞벌이 하면서 치열하게 사느라 큰형님 고충을 잘 몰랐다. 어머니는 당연히 형님이 모시는 것으로 생각했다. 그런데 큰 형수가 나이 들어 자꾸 아프시다 했고, 연세 높은 어머니는 자식의 돌봄이 없이는 활동하실 수 없게 되자 늦게나마 내가 모시기로 했다.

햇살이 따스한 봄날, 어머니가 우리 집으로 오셨다. 팔순이 넘은 나약한 어머니 모습을 대하자 울컥했다. 어머니는 젊은 날 시장에서 보내셨다. 비가 오나 눈이 오나 채소 광주리를 이고 난전에서 아침부터 밤까지 야채를 파셨다. 허기진 배를 움켜쥐고 점심도 참아가며 알뜰히 돈을 모으셨고, 자식 뒷바라지를 하셨다. 그런데 늙고 아기처럼 되셔서 우리 집으로 오셨다.

우리 집에 비상이 걸렸다. 삶에 리듬이 깨지며 잘 모시고 싶은 마음과는 달리 난감하기 이를 데 없는 날이 이어졌다. 아이들을 등교시키고 아내와 나는 직장에 출근해야 해서 낮 동안 집안에 가족이 없는 상태였다. 어릴 적에는 엄마가 너무 좋아서 '엄마, 장가가면 나하고 살아요?' 하고 말했다. 그러면 "큰아들이 있는데 내가 왜 막내랑 사니? 나는 큰아들과 살란다." 하고 말씀 하셨다. 그런데 오신 지 얼마 되지도 않았는데 비틀거리고 있었다.

도대체 나는 어찌된 사람인가. '큰형님을 생각해봐라, 이제 네가 모신지 겨우 2년 됐잖니? 어머니는 너를 낳고 네가 똥 싼 것마저도 기뻐하시며 키워주셨고 공부 가르치시랴 평생 고생하셨잖니' 하면서 자신을 꾸짖었다. 그간 큰형님과 형수 노고를 의식하지 못했던 것이 죄송했다. 퇴근하면 근육이 마르고 뼈만 앙상하게 남은 어머니 팔다리를 주물러 드렸다. 몸이 약한 아내를 대신하여 내가 진자리를 갈아드리고 목욕을 시켜드렸다. 깨끗이 씻겨드린 후에 침대에 눕혀 드리면 눈을 감으시고는 두 볼에 눈물을 흘리셨다. 그렇게 내가 최선을 다하는데도 어머니는 늘 큰아들 집을 그리워하셨다.

그날도 보일러 온도를 높여 어머니 방을 따뜻하게 해드렸다. 찹쌀죽을 쑤어 입에 넣어 드렸더니 잘 받아 드셨다. 아기로 태어나 고생하며 살다가 갈 때는 도로 아기가 되어 가는 게 인생인것 같다. "잘 먹었다. 몸이 으스스 춥구나" 하고 말씀하셨다. 어머니는 점점 힘들어하셨다. "사랑해요!" 하고 어머님 귀에 목소리를 들려드리면 눈꺼풀만 움직이셨다. 떨리는 손가락 끝으로 화답하셨다. 그렇게 식음을 놓으시더니 조용히 감은 눈을 뜨지 못하셨다. 창밖에 함박눈이 펑펑 쏟던 날 밤 어머니는 천국으로 가셨다. 마지막 잠시 동안이나마 막내인 내가 모실 수 있도록 배려해주신 큰형님의 깊은 뜻이 고맙다.

꽃구경 가요

벚꽃이 기지개를 켜며 흐드러지게 피었다. 화려한 꽃송이가 아름다움과 향기를 뿜어내면 벌과 나비가 잔치를 연다. 벚꽃 나들이를 즐기는 사람들이 담소를 나누고 있다. 오고가는 인파에 서로 몸을 부딪쳐도 부푼 가슴은 그리움으로 가득하다. 봄비를 맞고 꽃비가 다 쏟아져 내린 날이면 쓸쓸한 거리를 만나게 된다. 인생의 봄이 지나가면 여름의 청춘을 맞고, 찬바람이 불면 가을의 낙엽과 함께 겨울이 옷깃을 또 스쳐 간다. 가까운 글씨가 희미해지고 먼 산들이 아련하게 보인다. 내게도 주름이 하나씩 늘어가고, 검은 머리카락은 서리가 하얗게 내려앉고 있다.

대문밖에 던져진 신문을 들고 읽다가 잠시 눈길이 멈췄다. 서울 대학생을 대상으로 부모님이 몇 세에 돌아가시면 적당하겠냐고 물었더니 많은 학생이 63세라고 답을 했단다. 또 아버지에게 가장 바라는 것이 무엇이냐고 물었더니 '재산'이라는 대답이 절반을 넘었다는 설문조사 결과가 사람들에게 회자되고 있다. 이를 두고 기막힌 현실이라고 통탄해야 하나 아니면 우리 세대가 만든 자업자득이라고 한탄을 해야 하는가. 자식만을 위해 살아온 어른들의 삶에서 자식이 배운 것은 에고이즘의 절정을 이루게 했다. 우리의 태도가 변하지 않으면 자식도 변하지 않는다. 돈 앞에선 부모를 남같이 여기는 경우도 있는것 같다.

누구나 한번 세상에 태어났다가 떠나는 것이 정해진 순리인데 만남과 이별의 시간이 너무 씁쓸하다. 우리 세대는 장자가 부모를 모시는 것이 당연하다고 생각해왔고, 동생들 뒷바라지를 도맡았었다. 조상들의 제사 날에는 필요한 음식을 준비하여 차례를 지내는 의무까지 맡았다. 그래서 부모가 세상을 떠나면 유산도 장자에게 가장 많이 주었다. 그러나 지금엔 자식들이 부모를 서로 모시지 않으려고 해서 법정소송까지 한다는 소식이 빈번하게 들린다. 하여 법이 개정되었고, 부모가 죽으면 유산을 딸 아들 구분 없이 똑같이 물려받는다. "효(孝)가 인륜(人倫)가운데 가장 중요한 것이다."

라고 가르쳐 왔는데 받는 것은 권리이고 의무와 책임은 지기 싫다고 한다.

"여보! 이제는 자식을 기대하는 세대가 아니에요, 때가 되면 우리도 요양원으로 가야해요"

아내가 말한다. 나이 든 노인을 산채로 산에 버리는 것을 고려장이라 일컫는다. 실제로 이러한 문화가 한국 역사에 정말 있었는가 하는 의문이 들기도 한다.

"어머니, 꽃구경 가요."

아들이 늙은 어머니를 업고 마을을 지나고 산길로 간다. 산자락에 휘감겨 숲길이 짙어지자

"아이구머니나!"

상황을 알아차린 어머니는 그만 말을 잃고 만다. 꽃구경 봄 구경 눈감아 버리고 어머니는 한 움큼씩 한 움큼씩 솔잎을 따서 뒤에 뿌리며 간다. 험한 산길 되돌아갈 아들이 길 잃지 말고 내려가기를 바라서다. 고려장 가는 길에서 아들을 걱정하는 어머니의 짙은 모정이 가슴에 짠하게 울려온다.

오늘날 나이가 들고 치매가 오면, 병든 부모를 요양병원에 모셔다 놓고는 연락을 끊어 버리는 자식들이 늘고 있다고 한다. 치매에 걸린 어머니를 복지시설에 맡기면서 '어머니인 것을 포기한다'는 각서를 쓰는 경우도 있다고 하니 기가 막힐 노릇이다. 부모들은 가족에 대해서 아무리 물어도 자식에 대해선 한마디 대답이 없다고 한다. 혹여 그 자식에게 해라도 가지 않을까 하는 마음일 거다.

추석날, 햇곡식으로 만든 송편과 대추, 밤 그리고 평소 좋아하시던 녹두전과 동동주를 들고 부모님 묘소 앞에 무릎 꿇고 인사를 드렸다.

"어머니, 천국에는 이곳처럼 춥지는 않죠?"

물었다. 마지막 세상을 떠나시기 전 목욕을 시켜 드렸을 때

"아이고 시원하고 개운하구나"

하면서 좋아하시던 미소, 따뜻한 미음을 끓여 입에 한 숟가락씩 떠 넣어 드렸을 때 애기처럼 받아 잡수시던 그 얼굴이 지금도 눈에 선하다. 사랑받고 사랑을 주며, 행복했던 추억의 보따리를 어머니가 풀어 놓으실 때는 한없이 웃고 울었었다. 흙에서 와서 한 줌 흙으로 돌아가는 그 길이 왜? 그렇게도 짧게 느껴졌던가 하는 회한을 가슴에 담는다.

인생 2막의 길을 행복하고 보람되게 살아갈 수 있는 길은 과거의 투쟁적인 삶과 나만 위하는 생활의 자세에서 벗어나, 이웃과 사회에 기여하는 삶으로 살아가는 것이리라. 이웃과 소외된 어르신을 위해 무엇인가를 해야겠다는 생각이 나를 무척 행복에 젖게 한다. 첫눈이 내리는 날 꽃상여 타고 하늘나라 가신 어머니…. 사랑의 꽃, 감사의 꽃, 고마움의 꽃이 벚꽃잎을 타고 내가슴으로 내려앉고 있다.

화려한 백수

아침 식사를 마치고 와이셔츠에 넥타이를 맨 후 신발장에서 구두를 꺼내 신으려다 멈칫했다.

"어디가려고? 아….."

퇴직한 사실을 잠깐 잊고 몸이 먼저 행동한 것이다.

반평생 인생의 여정을 마무리하는 날이 그제 있었다. 친구들과 제자 그리고 누님과 자식들이 참석한 자리에서 직원들과 함께 조촐한 퇴임식을 가졌다. 충북과학 발전의 발자취를 동영상으로 보며 희로애락을 같이 했던 리멤버팀도 꽃다발을 들고 서 있다. 밤을 살고 새벽을 살며 과학 발전을 위해 혼신을 다해 왔던 귀중한 일꾼들이다. 송사를 하는 직원이 아쉬운 듯 목이 메는 글을 낭독할 때 모두가 숙연해지기도 했다. 인생의 제1막을 마치는 길은 기쁨과 행복한 웃음으로 마무리를 했다.

새로운 인생길이 무엇인가 생각해본다. 지나온 삶은 가족과 나의 성취를 위한 삶이었다. 인생 제2막은 남을 위해 봉사하며 묵묵히 걸어가리라 다짐했던 약속이 가슴을 두근거리게 만든다. 땅을 바라보며, 틀에 박힌 생각과 단순한 직장 생활에 길들었던 시간들이 나를 지배해 왔다.

이제 새로이 가야하는 나그네길이다. 앞으로는 자유롭게 사고하고 새로운 경험의 세계를 맛보며 가자고 하늘을 쳐다보고 웃어 본다. 신발장에 도로 구두를 넣고 넥타이를 풀었다. 책상에 앉으니 여의도 광장에서 젊은이를 부르며, 세계선교를 향해 떠나갈 사람을 찾던 그 여름밤의 부름이 눈앞에 떠올랐다. 늘 가슴에 품어 두었던 소명이었다. 가난하고 아픈 사람들에게 사랑을 전해주다가 그곳에서 생을 마치고, 이름도 없고 빛도 없이 그 땅에 묻히리라는 소망이다. 필리핀, 태국, 캄보디아, 라오스를 방문하고, 나를 부르는 곳, 그리고 내가 가야 할 곳을 결정하기로 마음먹었다. 하반기 인생은 나의 달란트를 활용한 교육봉사를 위한 삶을 살기로 한 것이다.

그해 4월, 필리핀 클락의 빈민촌을 찾아갔다. 흙바닥 위에 대나무와 갈대를 이용해 지은 비좁은 집에서 많은 식구가 어렵게 사는 모습을 보고는 가슴이 먹먹해졌다. 너무 가난하여 학교도 못 가는 아이들과 몸이 아파도 병원 치료를 받지 못하는 노인을 볼 때 가슴이 에이고 아팠다.

두 달 후에는 태국의 소수민족이 사는 곳과 판자촌 마을을 방문했다. 물 위에 지은 집들이 많았다. 뜨거운 여름날 하천에서는 썩은 냄새가 물씬 풍겼다. 개울가에서 놀고 있는 아이들의 삶은 비참했다. 이 세상에 태어나 존재하는 책임을 누구에게 물어야 하는 것일까? 눈을 감아도 쉽게 잠이 오지 않았다. 답답한 심정을 안고 돌아오면서 인생 2모작을 설계했다.

한국에 도착하여 집에 돌아온 그날 밤, 어렴풋이 잠이 들었다. 새벽에 식은땀이 나고 가슴이 답답하여 잠을 깼다. 화장실에 가서 토해보려고 했으나 어려웠다. 체한 것 같아서 아내를 깨워 열 손가락을 모두 따게 했다. 그래도 답답함은 멈추지를 않는다. 끝내 119를 불러 병원 응급실로 향했다. 전문의사는 심근경색이라는 진단을 내리고 곧바로 시술에 들어갔다. 관상동맥 중 하나가 막혀서 뚫었다는 의사의 설명과 시술 후 약물치료를 잘 받아야 한다는 안내를 받았다. 심장이 멈추면 저승으로 가는 것 아닌가. 마취가 깨서 눈을 떠보니, 맥박이 뛰는 그래프의 영상이 보이고, 손목엔 수액 주삿바늘이 꽂혀 있다. 희미하게 바라보이는 아내의 얼굴엔 안도의 숨을 쉬며, 따뜻한 미소를 짓고 있었다. 어처구니가 없는 일이었다. 옛날 같으면 심장마비로 죽을 뻔한 일이 나에게 벌어진 것이다. 필리핀이나 태국에서 선교하던 중 이런 일이 일어나지 않은 게 얼마나 다행인가. 술 담배를 하지 않고 고혈압이나 당뇨가 전혀 없었는데, 나에게 어찌 이런 일이 생겼는지 이해할 수 없었다. 그래도 살아 있음에 감사했고, 눈을 떠서 가족을 바라보며 이야기를 나눌 수 있음에 기뻤다.

집 앞 나무 위에서 까치가 반갑게 울어대는 설날이면, 우리 집안 최고령 어른이 계시기에 매년 인사를 드리려고 찾아뵙곤 했다. 어르신께서는 우리를 반갑게 맞아주면서 고향에서 있었던 이야기와 어린 시절 추억담들을 자주 들려주시곤 했다. 어르신께선 가까운 집안 친척들이 60세를 넘기지 못하고 소천했기 때문에 회갑을 넘길 수 있을까? 늘 걱정하셨다. 초등학교 교장으로 퇴직하면서 퇴직금을 일시금으로 받아 은행에 넣고 이자로 살아오신 분이다. 그런데 그 어르신이 고희와 팔순을 넘기고 장수하셨다. 은행 이자율은 점점 떨어지고 병원 치료비와 생활비의 어려움을 느끼게 되었다. 연금처리를 하지 않고 일시금으로 찾은 것을 몹시 후회하며, 나에게 반드시 연금수혜자가 되라는 뼈 있는 충고를 해주셨다. 비 오는 날을 위해 준비한 우산이 정말 고마웠다.

이제부터 덤으로 사는 제2의 인생길이 열렸다. 하늘을 바라보며 만남의 기쁨과 행복의 씨앗을 심고, 땀 흘리며 꿈나무를 키우고 싶은 마음만 가득하다. 이 땅에서 소유와 이룸의 만족보다 나눔과 섬김의 감사가 있기를 더욱 간절히 소원했다. 화려한 백수, 김화백의 새로운 인생길 제2막을 백조가 호수 위를 춤추듯 열어가고 싶다.

두고 온 백두산

갈매기 나는 인천항에서 뿌-웅 뱃고동 소리가 울린다. 500명 이상 탈 수 있는 큰 여객선이 방마다 널찍한 공간과 침구들이 말끔하게 정렬되어 있다. 금방이라도 숨넘어갈 듯 서녘 하늘은 붉게 노을이 지고 있다. 언제라도 즐겁고 가슴 설렘 가득한 여행은 남녀노소를 막론하고 들뜬 마음은 감출 수 없다. 이방 저방 이야기꽃을 피우며 웃음소리가 흘러넘친다. 단군신화의 전설이 주저리주저리 열리고 있다. 민족의 혼을 담은 한반도의 영산, 백두산 천지는 늘 꿈속에서라도 가보고 싶었던 곳이었다.

산동과 청진을 거쳐 장춘을 지나는데 차창 밖으로 보이는 옥수수밭이 파노라마처럼 펼쳐졌다. 10억 이상 그 많은 사람이 먹고 살려면 저렇게 많은 옥수수를 심어야 되겠구나 하는 생각이 들었다. 즐거운 게임과 피로를 풀 수 있는 몸 동작을 하며, 몇 시간을 달려도 보이는 것은 끝없는 지평선이다.

만리장성은 수많은 인공 구조물 가운데 가장 긴 산성으로 세계

문화 유산이다. 북방민족의 침입을 막기 위해 진시황 시대부터 명나라에 이르기까지 장대하게 축조했다. 오늘날 동북공정의 역사 왜곡으로 서쪽 갈석산에 있어야 하는 만리장성이 만주 요동으로 밀리면서, 결국은 한반도 황해도까지 만리장성이 들어오는 어처구니없는 일이 벌어지고 있다.

가이드가 '하룻밤 사이에 만리장성 쌓는다는 말에 얽힌 이야기를 들려준다. 해가 저물어 소금 장수가 산속에서 길을 잃어 잠잘 곳을 찾게 되었다. 멀리 호롱불 빛이 보이는 곳에 가서 주인을 부르니 한 여인이 나와 이 집에는 여인 혼자 사는 곳이기에 잠을 재워줄 수 없다는 것이다. 그러나 소금 장수는 너무 어두워서 다른 곳을 찾아갈 수 없으니 하룻밤만 재워 줄 것을 거듭 간청했다. 그때 주인 여자가 한 가지 청을 들어주면 재워주겠다고 했다. 소금장수는 흔쾌히 승낙했고 그날 밤 그 집에서 하룻밤을 잤다. 떠날 때, 주인 아낙네는 흰 봉투를 주면서 만리장성을 쌓는 곳 책임자에게 꼭 전해 달라는 부탁을 했다.

소금장수는 약속대로 건축 현장의 책임자에게 편지를 건네주었다. 편지 내용은 내 남편은 늙고 병들어 일하기 어려우니 지금 보낸 청년을 대신 일하게 하고, 늙은이는 집으로 보내 달라는 내용이었다. 그래서 아낙네와 하룻밤을 잔 소금장수가 아낙네 남편 대신 일하게 되고, 남편은 아내가 있는 집으로 돌아오게 되었다. 하룻밤 사이에 만리장성을 쌓는다는 기막힌 이야기에 웃음이 절로 나왔다.

장백산 입구에 버스가 도착해 산길을 걷기 시작했다. 중국 쪽에서 올라가면 장백산, 북한 쪽에서 오르면 백두산이다. 분단의 아픔이 느껴졌다. 산 중턱에 있는 뒷간이라 쓰인 화장실을 갔다. 낭떠러지 물 흐르는 곳을 발아래 두고 칸막이도 없이 옆 사람 엉덩이를 보면서 볼

일을 해결해야만 했다. 남녀가 부끄러워 민망하기가 이를 데 없었다. 숨을 헐떡이며 산길을 올라가는 길옆에 핀 야생 들국화, 쑥부쟁이, 민들레, 제비꽃들이 연보라 자주색을 띠고 피어 있었다. 꽃 색은 토양의 산성도에 따라 색깔이 변하지만 기후에 따라서도 변한다.

드디어 정상에 올라 천지를 보려고 할 때, 안개구름이 바람을 타고 휘몰아쳐 아무것도 보이지 않았다. 그렇게 긴 시간 돌고 돌아왔는데 백두산 천지를 볼 수 없다니, 아쉬운 마음에 발걸음이 떨어지지 않았다. 눈물을 글썽이는 사람도 있었다. 함께 한 일행들 모두가 허탈하여 서운한 눈빛을 나누며 내려올 수밖에 없었다.

어찌할 도리가 있겠는가? 터벅터벅 되돌아 버스를 타고 돌아오는 공간은 무거운 침묵만 맴돌고 있다. 섣불리 농담을 했다가는 뺨이라도 맞을 것만 같은 분위기다. 누구라도 이 분위기를 반전시켜 줄 해학이 필요했다. 눈치 빠른 가이드는 여섯 번이나 백두산천지를 왔다가 보지 못하고 내려갔다는 어느 여교사의 애달픈 마음을 맛깔스럽게 들려주었다.

"그럴줄 알았지 그럴 줄 알았어.

나라고 네 얼굴 보고 가랴 하겠냐만

널 보고픈 마음 장백송 가지에 새소리로 두고 간다.

아니다 아니다 그게 아니다.

북경, 청진, 장춘으로 온 것이 너의 비위 거슬렸다면

이다음엔 개성, 원산, 평양으로 돌아오마

그때 맑은 물 고운 몸매 보여주면

언덕길을 뛰어내려 얼싸안고 울리라."

오늘 보지 못한 천지는 통일이 될 때까지 기다려, 다시 와 보겠다는 넉넉한 마음의 고백이다. 얼마나 따뜻하고 갸륵한 마음가짐인가. 한번 와서 백두산 천지를 못 보았다고 속상해하고, 볼이 부어 불평하며 원망하고 투정 부리던 나의 속 좁음이 한없이 부끄러웠다. 아쉬운 마음과 속상했던 마음이 눈 녹듯 사라졌다.

같은 하늘 아래에서도 지구의 반쪽이 밤이면 다른 반쪽은 낮이다. 시간이 흘러가면 밤과 낮이 또다시 바뀌고, 돌고 돌면 모두가 원점으로 되돌아간다. 한순간의 실패와 절망은 낭떠러지로 떨어져 죽을 것만 같은 어둠의 인생길을 걷게 했지만, 내일의 희망이 있을 땐 동녘의 붉은 해는 더욱 새날을 밝혀준다. 환하게 보름달이 떠오르는 밤이다. 이별을 하는 사람에겐 슬픔을 느끼며 시름에 잠기게 하지만, 미래를 꿈꾸는 연인들에겐 한없이 아름답게 보이고 행복함에 젖어 들게 한다. 뜨고 지는 달은 변함이 없건만 내 마음에 따라 다르게 보이고, 느껴지는 것 아닌가.

오늘 이 순간이 인생의 끝은 아니다. 행복과 불행도 마음먹기에 달려있는 것이다. 길은 무엇으로 어떻게 가든 서로 통하기 마련이다. 조금 쉬었다 돌아간다고 할지라도 우리가 만나고 헤어지는 삶의 그 자리는 변함이 없다. 기다릴 줄 아는 여유와 지혜가 행복한 삶을 만든다.

보고픈 백두산 천지를 두고 돌아오는 길 내내 개성, 원산, 평양으로 다시 돌아오마 했던 그 여교사의 애달픈 고백이 두고두고 가슴에 메아리쳐 온다. [2022.1.10. 스포츠닷컴신춘문예최우수상]

그 밤의 메아리

파아란 잔디밭에 대학생이 둥글게 앉아 동아리를 홍보하고 있다. 뜻을 이루어 보리라는 청운의 꿈을 안고 젊은이들이 밝게 미소 지으며, 이야기꽃을 피운다. 청소년시절은 다방과 술집, 극장 출입을 할 수 없었고, 담배도 피울 수 없었다. 20세가 되면 성인으로 인정받고, 금지되었던 것들에서 자유로워진다. 강의실마다 새롭게 만난 친구들과 대화가 무르익었고, 선배들은 대학 동아리 모임과 일정을 자세히 소개해 주었다. 나는 청주CCC(한국대학생선교회)에 가입했다.

어렵게 살던 시기였다. 어느 집이든 복을 받아 잘 살고 싶어한다. 새해가 되면 복조랭이를 사서 문 앞에 달고, 입춘대길(立春大吉)이라는 글을 써서 붙여놓기도 했다. 학생들은 멍석을 깔고 호리병에 담긴 막걸리를 따라 마시며 선비처럼 즐기기도 했다.

1974년 그해 여름, 여의도 광장에서는 전국 기독인 100만 명이 모이는 초대형 집회를 준비했다. '빌리그레햄' 목사님이 주 강사이고 아이와 어른들, 노인들까지 교파를 초월해서 모였다. 하늘의 축복 문이 열리고, 성령의 폭발, 믿음의 폭발, 사도행전의 기적이 일어나기를 바랐다. 여의도 광장에는 백만 명의 성도들이 한자리에 모였다. 한국기독교역사 이래 이렇게 많은 사람이 모인 적이 없었다. 광장에는 천막을 쳐놓았고, 전국 각 지역에서 올라 온 사람들이 숙소로 이용했다. 3,000명이 먹을 수 있는 밥솥이 등장했다. 식판에는 단무지와 새우젓이 주 반찬으로 올려졌다. 수백 명의 성가대가 찬양곡을 불렀고, 금식하며 울부짖는 기도는 하늘을 찔렀다.

"복음의 빚진 자로 받은 만큼 사랑을 전해야 합니다."

"젊은이여! 일어나십시오, 30만 명의 선교사가 필요합니다."

"이 땅에 푸르고 푸른 예수의 계절이 오게 하자! 예수의 꿈을 꾸자! 꿈이 없는 민족은 망합니다!"

메시지가 울려 퍼지는 밤에 무수히 많은 청년들이 일어났다. 젊은이들에겐 뜨거운 소명의 불꽃이 타올랐다. 나도 덩달아 일어나 함께 기도했다. 김준곤 목사님의 설교는 간절했다. 순론으로 연한 싹을 틔우고, 대학을 복음화하여 성시를 만들자. 하나님의 음성을 듣고 순종하는 성서한국, 민족복음화를 이루자고 외쳤다.

"민족 복음화가 이루어지면 국회에서 기도로 시작하며 회개 운동이 일어나고, 대통령이 성서에 손을 올려놓고 서약하며, 하나님의 백성이 되어 축복받는 민족이 되는 것이리라 했다. 논두렁 밭두렁에서도 일하다가 멈추어 기도하고, 떡을 떼며 사랑을 나누는 민족이 된다. 한국이 민족복음화가 되면 땅속의 지층이 움직여 풍부한 지하자원이 한국 땅에서 나올 것이다. 세계 4대 어장의 물고기들은 회의를 열고 복음의 나라 축복받은 땅으로 몰려오며, 우리는 한국으로 모여든 물고기들을 바닷가에서 주워 담기만 하면 된다. 찬송을 부르고 북과 장구를 치면서 삼팔선으로 걸어가면, 여리고성이 무너지듯 남북통일이 이루어질 것이다."라고 말씀하셨다.

여의도 광장에서는 구름떼처럼 모인 성도들의 찬양과 기도가 모아졌다. 빗방울이 떨어져도 어느 누구하나 자리를 떠나는 사람이 없었다. 가슴을 치는 회개의 운동이 일어났고, 앉은뱅이가 일어나는 기적도 있었다. 무남독녀 외동딸을 선교사로 보내며

"이천 년 전에 죽은 로마의 사형수여!
사랑의 약탈자여!
그대는 살았는가, 죽었는가!"

울부짖는 어머니의 애절한 절규가 귀에 생생하다. 그 밤의 메아리가 아직도 내 가슴에 남아 있다.

처음 예수를 만난 구원의 기쁨과 감격의 뜨거움이 나를 더욱 새롭게 했다. 사직동에 있는 청주CCC 회관에서는 충북대, 청주대, 청주여사대, 교육대 그리고 청주간호대학 크리스천 학생들이 금요일 저녁마다 모였다. LTC훈련을 받으며 순론을 배웠고, 순장이 되기를 기다렸다. 대학 잔디밭에 앉아서 성경과 순론을 읽고 또 읽으며 기도로 단을 쌓았다. 몇몇 형제들과 손을 잡고 주님의 은혜를 나누다가 이런 모임을 우리가 먼저 싹 틔워 보자고 했다. 아침에는 캠퍼스 잔디밭에서 순모임을 시작했고, 비가 오면 옥상 처마 밑에 옹기종기 모여 성경말씀을 공부했다. 시험 기간에도 쉬지 않았다. 학교 서클 활동과 학업을 병행하다보니 공부하는 시간이 늘 부족했다.

"밤을 살고 새벽을 살자."

"하나님! 짧은 시간에 외울 수 있는 지혜를 주세요."

한밤중에 두꺼운 노트를 들고 기도했다. 죠지뮬러가 기도 응답을 기다리는 것처럼 주님의 동행을 바랐다. 그것은 크리스천 학생들의 표어가 됐다. 시험을 보는 당일엔 "어제 공부한 것을 하나도 빠짐없이 기억나게 해 주시고, 모두 기록하게 해주세요, 커닝하지 않고, 크리스천답게 시험 볼 수 있게 해 주시며, 이 모습으로도 전도되게 해주세요." 기도했다. 그해 5개 대학 CCC가족 모두 우수한 성적으로 졸업하는 기적의 역사를 이루었다.

우리나라가 세계 10대 경제대국으로 자리 잡으며, 선교하는 나라가 된 것은 우연이 아니다. 유교 사상으로 빗장 문을 굳게 닫은 이 땅에 압록강을 건너온 쪽복음이 있었고, 그 복음을 위하여 죽어간 선교사의 피 흘림과 헌신이 있었기 때문이다. 중국에 와서 활동한 토마스 선교사는 내가 태어난 곳이 조국이 아니라 내 아내와 아들이 죽어간 이곳이 나의 조국이라 했다. 감격스런 그밤의 메아리가 되살아나 삶의 방향을 잡아주곤 한다.

천상의 쇼 오로라

장학관님이 부산과학관 계단을 걷고 있다. 어디가 아프신지 걸음걸이가 불편한 듯하다. 식은땀을 흘리셨다. 얼굴에는 핏기가 전혀 없고 숨을 몰아쉬고 있어 부축하여 의자에 앉혀드렸다. 어제부터 혈변이 나오고 힘들다는 말씀을 하신다.

곧바로 청주로 돌아와 병원에 입원하여 진료를 받았다. 직장암이 발견되어 수술을 하셨다. 식사 때마다 항암제 약을 드셨다. 머리가 빠지고 손바닥과 발바닥이 마르며 갈라져서 걷기조차 힘들어했다. 맵고 짠 음식을 절제하며, 좋아하던 담배와 술도 끊었다. 등산은 엄두도 낼 수 없는 상태다. 그동안 승진과 명예를 얻기 위해 열심히 사셨던 분이다. 모든 것을 잃어버린 것처럼 허전해 하신다.

"김장학사, 학교 현장으로 나가거든, 사모님과 일 년에 한두 번씩 꼭 해외여행을 다니고 맛있는 음식도 마음껏 드시오"

한다. 해외여행을 한 번도 다녀오지 못한 것이 꽤 아쉬웠나 보다. 마치 유언처럼 내게 말씀 하셨다.

찰떡궁합이 맞는 과학 지인들과 오로라를 보기 위해 캐나다 앨버타주에 있는 '옐로우나이프'로 겨울 여행을 떠났다. 오로라 관측 최적지로 잘 알려져 있는 곳이다. 옐로우나이프와 그 주변 수역은 한때 '구리 인디언' 또는 '옐로나이프 인디언'으로 알려진 덴 부족의 이름으로 지었다. 6~9월 정도는 따뜻하고 나머지 8개월은 겨울 기간으로 매우 추운 날씨. 우리가 찾아갔을 때는 영하 50~60도로 추워서 꽁꽁 언 얼음 호수 위로 트럭이 다닐 정도였다.

태양은 폭발을 하면서 플라스마 입자를 방출한다. 이 입자들이 우주로 뻗어나가다가 지구에 도달하게 되면 대기 중 기체와 충돌해 기체를 이온화하는 과정에서 가시광선과 자외선, 그리고 적외선 영역의 빛을 띠는 현상이 나타난다. 우리 눈에는 가시광선 영역의 오로라를 볼 수 있는 것이다. 극지방의 밤하늘에 나타나는 아름다운 현상이다.

호텔에서 대여한 방한복으로 갈아입고, 방한화와 방한장갑, 털모자를 쓰고 걸으려니 우주인이 걷는 것같이 몸이 비둔했다. 한밤중에 꽁꽁 얼어 있는 호수 위를 작은 버스로 이동했다. 너무 추워 맨손으로 카메라를 잡으면 쩍쩍 달라붙어 움직이기조차 힘들다. 인디언텐트 티피 안에서 뜨거운 물을 넣은 컵라면을 먹으며 오로라가 피어오르기를 기다렸다. 갑자기 밖에서 환호성이 터졌다.

"브라보! 환타스틱, 와 대박이다"

극한의 동토 밤하늘 상공에서 펼쳐지는 새벽의 여신, 오로라의 화려한 춤사위는 보는 사람들로 하여금 경외심을 불러일으키기에 충분하다. 오로라는 로마 신화에 나오는 여명의 신(Aurora) 이름을 따서 지은 것이다.

연한 초록빛과 붉은색이 화산에서 용암이 불타오르듯 용솟음치는 오로라는 거대한 백조가 춤을 추는 것처럼 황홀했다. 세계 여러 나라에서 온 사람들의 감탄사가 이곳저곳에서 터져 나왔다. 태양에서 나오는 입자들이 산소와 충돌하면 일반적으로 노란색이나 녹색이 만들어지고, 질소와 충돌하면 빨간색, 자주색, 그리고 가끔 파란색이 만들어진다.

오로라가 밝아질수록 그 움직임도 빨라지고, 커튼이 굽이치듯 꼬이기도 했다. 수억 개의 별과 은하를 배경으로, 거대한 녹색과 연둣빛, 노란색의 장막이 하늘의 북쪽과 동쪽 전면을 덮어버렸다. 마치 피아노 건반을 매우 빠르게 두드리는 베토벤의 운명 교향곡처럼 웅장한 서사시가 연출되었다.

지평선 너머에서 등장한 또 다른 오로라의 띠가 점점 밝아지면서 바로 머리 위까지 이어지고 있다. 짧은 탄성을 뱉으며 하늘에서 시선을 떼지 못한다. 북미 원주민들은 "신들의 영혼이 하늘에서 춤추고 있다"고 했다. 또한 북유럽 사람들은 "전쟁의 여신 발키리가 죽은 전사들을 천국으로 데려가면서 그녀들이 들고 있는 방패가 빛을 반사할 때 보이는 빛"이라고도 했다. 저 우주 계곡에 바람이라도 분 것일까? 오로라의 띠가 드넓게 펼쳐지더니, 백조의 날개가 봄바람에 흩날리듯 화려하게 형태를 바꾼다.

옐로나이프 상공에 울려 퍼지는 팡파르와 함께 천상의 오로라 쇼가 펼쳐졌다. 우리 부부는 손을 잡고 형용하기 어려울 정도의 가슴 벅찬 감동에 잠겼다. 돌아오는 길에 유언처럼 간절하게 말씀을 해주신 그분의 얼굴이 떠올랐다. 건강을 잃으면 모든 것을 잃어버린다는 말씀이다. 소중한 것을 깨닫는 것은 하늘 아래였다. 오로라의 모습은 새벽 시간이 지남에 따라 밝기와 색깔 모양이 계속 변했다. 일평생 마음을 같이하며 함께 걸어가는 이 멤버들에게 경험할 수 있는 우주의 최대 오르가즘 카타르시스를 선물해 주었다.

'이 member Remember forever'

머무르고 싶었던 순간

한려수도 바닷가에 너울너울 밀려오는 파란 물결이 백사장을 두드린다. 붉게 타오르는 태양이 창밖의 소나무에 걸려있다. 경남 거제 지심도에서 통영, 사천, 남해를 거쳐 여수에 이르는 물길이 한려수도 수상공원이다. 학생들의 창의력을 키우고 미래 인재를 기르느라 수고한 지인들과 함께 예술의 도시 통영을 찾았다. 어느덧 해가 서산에 넘어가며 짙은 노을이 지고 있었다. 섬 중턱에 있는 숙소를 찾아가는 길에 잠시 찻집에 들렀다. '달이 떴다고 전화를 주시다니요' 문학적인 따뜻한 문구(文句)가 나그네의 발걸음을 멈추게 했다.

어제 저녁 시장에서 사두었던 싱싱한 전복과 야채로 전복죽을 만들었다. 아침을 먹으며 짧게 읊조린 죽 타령이 떠올랐다.

"네가 죽 이었냐? 네가 죽 이었지, 호박죽도 죽이고, 콩죽도 죽였지, 난 알아 네가 죽 인걸."

하며 한바탕 웃었다. 그동안 쌓였던 추억 이야기들을 깔깔거리며 나누었다.

통영은 토지의 작가 박경리, 세계적인 음악가 윤이상, 황소를 그린 화가 이중섭, 시인 김춘수 등 많은 예술가가 태어난 곳이다. 성웅 이순신 장군의 한산대첩이 있었고, 해상을 배경으로 한 고즈넉한 도시다. 박경리 문학 기념관에서 강렬한 메시지를 들었다.

"문학은 왜? 라는 질문에서 출발합니다. 우리는 왜? 라는 질문을 멈출 수 없습니다. 이것이 바로 문학의 골자이기 때문입니다. 창조란 순수한 감정이 바탕입니다. 창의력은 많은 생각을 하는 데서 생겨납니다."

학생들에게 창의력을 어떻게 키워야 할까? 하는 고민이 우리들에게 한동안 과제로 남아 있었는데 너무도 알기 쉽게 설명 해주었다. 머릿속에 쌓아두는 지식만으로는 미래 사회를 진취적으로 살아가기 쉽지 않다. 21C 인공지능시대를 살아갈 때는 통섭(通涉)의 철학이 필요하다.

통영 도천동 일대는 '윤이상 음악 마을'로 만들어졌다. 음악은 작곡하는 것이 아니라 낳는 것이라고 한다. 우주 공간에는 음향으로 가득 차 있는데 우주의 음악 중 아주 작은 부분만이 음악가를 통하여 출산 된다고 한다. 그렇다 예술은 예술가의 재능과 개성을 통해 음악과 문학, 그림으로 만들어지는 새로운 창조물이다. 우리가 들판에 나가서 꽃들을 들여다보면 어떤 것은 크게 보이고 어떤 것은 작게 보인다. 그것은 나와의 거리에 따라 단지 다르게 보일뿐이다. 윤이상 음악가는

"예술은 선생이 필요 없어 자기 혼자 배우는 거야.
음악을 잘하려면 건축가의 설계도를 봐야 해."

라고 말했다. 생각의 발상은 인문학과 자연과학 학문이 서로 통한다는 것을 알 수 있다.

그러나 실제로 통하지 않아 실수를 하는 경우도 있다. 염상섭은 '표본실의 청개구리'란 소설에서 개구리를 해부했더니 김이 모락모락 났다고 말했다. 실내 온도보다 뜨거운 커피 잔에서 김이 나는 것을 볼 수는 있지만, 실내 온도보다 낮은 냉혈동물에서 김이 나는 것은 전혀 볼 수 없는 현상이다. 이것은 문학가가 허구적 상상의 글을 쓴 것이다. 또 세계적인 조각가 로뎅의 '생각하는 사람' 작품을 보면 이상한 것을 발견할 수 있다. 턱을 괴고 앉아있는 모습이다. 사고의 중추는 전두엽에 있다. 정말 고민하며 생각에 깊이 잠겼다면, 손이 이마 쪽으로 가는 것이 자연스러운 거다. 어떤 정치가는 국가를 이끌어가는 이슈로 정화(淨化)를 내걸고 정치를 했다. 이 세상에서 가장 깨끗한 물은 증류수지만 그 속에서는 생물이 살 수가 없다. 물론 사회가 썩으면 국가도 망한다. 그러나 이는 이로, 눈은 눈으로 원수를 갚아야 한다면 얼마나 삭막한 세상인가? 손바닥과 손등을 모두 바라보는 혜안(慧眼)이 있어야 한다는 생각을 한다.

강구안을 따라 해안로가 깨끗하게 조성되어 있다. 좌측으로는 동피랑 벽화마을과 남망산 조각공원 그리고 저 멀리 거제도가 보인다. 구불구불한 오르막 골목길 담벼락 벽화는 언제 봐도 정겹다. 한산섬을 바라보고 있노라니 "누가 나의 향기와 색깔에 걸 맞는 이름을 불러다오 나도 그에게로 가서 꽃이 되고 싶다." 김춘수 시인의 간절한 마음이 다가온다. 무심히 뺨에 스치는 바람 소리에 귀기울여 보고, 작은 풀꽃들도 이름을 불러주며 입맞춤해본다. 산새들이 소나무 가지 사이로 날아들며 꼬리를 흔든다. 지저귀는 숲속의 새소리가 오늘따라 정겹게 들려옴은 사랑하는 사람을 향한 그리움이 쌓인 까닭인지 모른다.

작은 촛불이 어두운 방을 환하게 밝혀 주듯, 작은 가슴을 타오르게 하고 싶다. "파도야 어쩌란 말이냐 임은 뭍같이 까딱도 않는데 파도야 어쩌란 말이냐 날 어쩌란 말이냐" 바다를 보며 애태우는 청마 유치환 시인의 절규가 가슴을 울린다. 사랑하였으므로 더욱 행복하였기에, 나는 사랑받기보다는 사랑하는 사람으로 흔적을 남기고 가야겠다.

"버리고 갈 것만 남아서 참 홀가분하다"

발길을 멈추고 작가의 넋두리에 취해 그림 같은 한려수도 삼백 리를 뒤로한 채 터벅터벅 걷는다. 나는 무엇을 버려야 할까? 작가의 글 속에 머무는 그 시간이 진정한 힐링이었다.

사랑할 수 있어 고맙다
- 삶의 모멘텀이 만들어내는 성숙한 변곡점들

이철호(소설가, 새한국문학회 이사장)

처음, 김영기 수필가의 수필을 받아들고 나도 모르게 한바탕 웃고 말았다. 아니, 이럴 수가. 미처 상상해보지 못한 책 제목에 마음이 온통 흔들렸다. 도발적이다. '바람난 남자', 작가의 덩치를 한꺼번 느낄 수 있는 이 얼마나 멋지고 통쾌한 제목인가. 온갖 불순한 생각까지 보태어져 책장을 넘기기 전에 태풍에 휩싸였다.

마치 말을 타고 질주하는 것처럼 글을 읽었다. 일사천리로… 그만큼 속도감 있는 글의 전개는 무리 없이 독자와 작가가 함께 행보하고 있음을 의미하는 것, 굵은 선을 따라 오르고 내리는 과정이 무겁지 않다. 천부적인 재능일까, 아니면 각고의 노력이 만들어낸 것일까.

삶의 어느 지점에든 모멘텀은 존재한다. 방향도 없고 지향도 모르는 순수한 변곡점, 사람들과의 모든 관계를 빼고난 후 오롯이 홀로 서 있는 존재로서의 지점이다. 물론 제아무리 개인성을 강조한다 해도 방향은 있다. 가족 구성원의 하나이면서 밖을 나가면 동네와 이웃의 경계를 넘어 닿는 지점에 직장인의 하나이기 때문이다. 우리는 인생의 절반 이상을 그 경계인으로 살아가는 존재이기도 하다. 그 선을 잇는 무수한 점과 점은 나름의 변곡점이 되고 그 은하수 같은 점 자체 내에 또 천문학적인 모멘텀이 있다. 그 모양새를 구분 짓는 포장지는 프레임과 개인의 성격과 지향으로 나눠진다. 나눠진 것은 또 각자의 목적지에 맞게 패러다임이라는 체계 속에 던져지게 되는데, 이 모든 일이 일상 속에서 흔히 이루어지고 있다면 믿을 수 있을까.

作중 바둑은 '같은 수가 없다'고 지시했다. 복기와는 다르다. '바둑이 인생과 같다'고 말한 기사의 언사에서도 역시 바둑의 한 수는 모멘텀의 연속일 것이다. 점 하나하나가 장고와 속기를 오가며 던지는 승부수이자 삼십육계라는 線상의 고독한 點이 될 것이다.

그만큼 글은 이런저런 분류를 넘어 지상에 존재하는 유일한 표식과 개인의 현상이 되고 만다. 감히 지존의 영역이자 순교자의 길이고 나름의 좁은 문이라는 점에서 여간 조심스럽지 않다. 글은 순전한 개인이 되어야만 마음을 쓸 수 있는 일종의 성명서 같은 것이기 때문이다. 말은 세 치 혀의 한계를 비유하는데 자주 쓰이지만 글은 솔직성과 진솔의 상징이다. '수필은 픽션이고 소설은 논픽션'이라고 하지만 공통점이 있다. 뭐냐면 수필은 솔직한 마음을 표현하고 소설은 가상의 허구를 도구로 삼아서 진실을 드러내는 점이다. 그 진실이라는 목적을 밝히는 데 있어서 수단은 자유자재로 갖다 쓸 수 있어야 한다. 다른 장르 역시 마찬가지다. 어떤 이는 노래로, 연극으로, 과학자로, 정치가로…시대의 패러다임과 프레임이라는 문화나 관습에 함몰되어 각자의 길을 걸어간다. 그 길은 달리 표현할 길 없어서 진실과 진리라고 하자. 그 진실과 진리라는 길은 우여곡절이 있는 드라마가 된다. 드라마는 재미가 없다면 외면당하기 쉽다. 그렇다면 막장이라든가 가난과 땀, 인내와 슬픔, 간헐적인 환희가 뒤섞여 있는 드라마가 가장 재밌는 작품이고 자연 모멘텀이 촘촘히 서려 있기 마련이다.

작가의 글은 인생 전반기를 보내고 큰 모멘텀에 서서 걸어온 길을 바라보는 글이다. 추억과 회한 가난과 죽음, 결혼과 생명 등 인생의 보편적인 길을 걸었다. 다시 시작하는 후반전을 시작하는 비장한 마음은 잠시 뒤로하고 호흡을 고른다. 전 편에 걸쳐 후반부에 내비치는 다짐과 초자아적인 자성 예언은 그가 평소 자기검열의 치열한 삶을 살았다는 반증을 내비친다.

교육자로서의 전형적인 틀을 벗어날 수가 없지 않았겠지만, 유년기의 늦둥이로서의 신체적인 나약한 한계를 벗어나고 승화시킬 수 있었던 삶의 지혜가 한 인간의 인성을 고착-내면화시킨 것이기도 하다. 변곡점과 모멘텀은 또 하나의 은하이고 다중우주 속 우주라는 점에서 그의 작품 하나하나는 우주이고 세계관이 된다. 작품 하나하나가 서 있는 지점 또한 각종 시상식의 이름을 빛낸 걸출한 시어와 감격으로 응결된 주옥이다.

그 안에는 개인과 가족, 인연과 관계의 역사가 스며 있어서 각 편마다 시작과 과정, 종결이라는 규칙적인 리듬감이 돋보인다. 작가의 의미 있는 말 한마디 한마디 속에는 유발 하라리의 '살아야 할 이유'를 넘어서서 그 어떤 일이든 견뎌낼 수 있는 작가 나름의 가치관이 지탱해 주고 있다. 자신감이라는 단적인 말로 그려낼 수 없는 그의 〈의미 있는 삶〉은 작중에서 보여주듯 부모님에 대한 한없는 고마움과 그리움으로 대신했다.

어머니는 그 자리에 없었다. 40여 년 공직생활을 마무리하는 충북교육과학연구원 퇴임식이 있었다. 지나온 발자취를 더듬으며 뜻있는 지인들과 함께 감사하는 축하의 시간을 가졌다. 냇가에서 벌거벗고 뒹굴며 소꿉장난하던 어린시절 초등학교 친구들과 사랑하는 제자들, 비가 오나 눈이 오나 평생 함께 한 아내와 장모님, 장인어른 그리고 직원들이 참석했다. 그러나 밤 깊도록 젖가슴을 내어주고 꿈 이야기를 들려주시던 어머니는 그 자리에 계시지 않았다. 그토록 어머니가 바라고 원하던 자리, 가장환하게 웃으며 반겼을 얼굴이 떠올라 눈물이 앞을 가린다.

...

"나는 못 보고 가지만 너는 니 동생 잘 되는 것 보고 갈 거야" 유언처럼 부탁하며 말씀하셨던 울 엄니 도수 높은 돋보기안경을 코끝에 걸친 채 호롱불 아래서 장화홍련과 심청전을 읽으시던 어머니. 이불 위에 뒹구는 막내둥이를 보면서 "큰 인물이 되려면 죽을 고비를 세 번은 넘겨야 된다. 더라"하셨다. 겨울 바람에 문풍지 울면 장독대에 숨겨둔 콩설기를 가져와 베개 밑에 두고는 "이리 와 너의 태몽을 들려줄게" 하시며 팔베개를 해주셨다. 삼형제 중 막내인 나에게 요셉처럼 유독 꿈 이야기를 자세히 들려주셨던 어머니였다.

– 〈태몽〉 중에서

'부모는 자식을 위해 살고, 자식은 부모에게 잘 보이기 위해' 사는 것 같다. 나도 너도 누구나 그렇다. 회자 되는 말 중에 '살만하니까 가버리더라'는 말처럼 애절한 말도 없다. 고생하시던 부모님, 이제는 몸과 맘을 편안하게 해드리겠다며 아무리 효성을 다해도 부모는 기다려주시지 않고 빈자리만 처연하다. 그것도 개인에게는 가장 영광스러운 포상의 자리에 그 누구보다 가장 초대하고 싶은 존재인 부모님의 자리가 자식의 퇴임식인데…

다시 그 자식의 자식의 자리에서나 그 임무와 소임을 대신할 수 있으련만, 어디 그 태몽에서 유래하고 살갗이 타고 손가락이 뭉텅거릴 정도로 태워낸 그 단 한 번의 찰나에 비유할 수 있을까. 부모는 아낌없이 살아내신 것이다.

작가의 부모의 사랑은 마치 유발 하라리의 "삶은 한창 고난을 겪더라도 지극히 행복해질 수 있다"는 것을 보여준다. 이에 비해 '의미 없는 삶은 아무리 안락할지라도 끔찍한 시련이다'는 것을 직간접적으로 시위하는 것 아닐까. 최소한 작가와 우리네 부모는 꿈과 희망이 있었고, 그것을 위해 아낌없이 자신을 산화(散花)시켜낼 수 있었다는 것도 보여준다. 많은 깨달음을 주고 행간의 생각거리를 주는 것으로 보아 작품 하나하나는 시적인 함축미를 가득 담고 있다.

父와 母는 동일체이면서 자식 사랑에 있어서도 같은 지향점을 본다. 단지 다른 방법과 수단으로 자식을 대한다는 점은 매우 일반적인 관점을 보여주고 있다.

공히 조물주적 입장이면서 특히 母는 로고스적인 면모를 두드러지게 드러내고 있다. 노래와 시, 언어적인 감수성으로 길러내는 것은 젖을 물리고 음식을 먹여주는 것과 同時적이다. 이에 비해 부성은 다소 외곽적이고 노동과 수확을 암시하는 것도 보편적이다.

"나는 못 보고 가지만 너는 니 동생 잘 되는 것 보고 갈 거야"

– 〈태몽〉 중에서

알파와 오메가를 다 아우르는 모친의 시적 암시를 회상하며 삶의 복선 같은 당시의 시어를 끄집어내 다뤘다. 말처럼 그날 그 자리엔 아무도 계시지 않고 씨가 된 엄니의 말씀은 그대로 실현되었다.

詩란 또한 말로 다하지 못하는 가슴의 표현인 것을 그때는 왜 몰랐을까. 가슴은 항상 울었던 것을 왜 느끼지 못했던 것일까. 땅 파고 일궈서 내다 팔아 돈을 만들어낸 부모는 가슴으로 시를 지어낸 것을 왜 몰랐던 것일까.

작가의 작품을 보며 '글을 쓴다는 것은 무엇일까'를 돌아보게 한다. 이 글은 나의 글이고 우리의 글이다. 보편성으로 언급되고 회상하며 오감을 자극하는 글이다. 찰나를 살아간다고 하잖았나? 그러한 의미로 보면 '세대 차이'란 말도 과장된 표현 같다.

나이와 세대를 넘어 공감하는 영역이 훨씬 더 많다는 것이다. 트로트나 시어도 신세대가 더 구성질 수 있지 않은가. 기나긴 인류사를 따져보지 않더라도 찰나밖에 보지 못하는 우리네 관점을 너무 과대평가하지 않아야 할 대목이다.

수단과 방편만 다를 뿐, 이 시대 어떤 어머니 아버지 가족사, 에피소드와 하등 다를 바 없는 공감을 불러일으키는 보편적인 가치를 추구하고 있다. 이는 '좋은 문학'의 근본요소라고 하는 점에서 신경숙의 소설 '엄마를 부탁해' 같은 우리네 정서의 천착된 주제를 다루고 있는 것이다. 정도와 시대 약간의 차이만 있을 뿐 '어머니'는 같은 어머니이기 때문이다.

작가의 모멘텀은 '여유와 행복' 한 장밋빛이었다. 하지만 그 어느 것보다 센 것이 나타난 것인데, 그것이 바로 작가 자신 속에 내재화되어 꿈틀거리던 '거인-태풍'이었다.

어떤 바람을 피울까? 새로운 만남이 있어야 한다. 매·난·국·죽 사군자를 그리는 곳을 찾아갔다. 그런대로 허전한 마음을 어느 정도 채울 수 있었다. 이번에는 빛바랜 추억의 향수를 하모니카로 달래보기도 했다. 그 또한 지나가는 바람으로 하나의 의미가 되었다. 그동안 그렇게 무던히도 해보고 싶었던 일들을 이곳저곳으로 찾아다녔다. 그러다가 진짜 된 바람 한번 피우고 싶은 대상을 만났다. 매·난·국·죽 사군자와 하모니카가 잠시 지나는 꽃바람이었다면, 이번에 만난 바람은 나를 뒤 흔드는 태풍 격이다.

-〈바람난 남자〉 중에서

어쩌면 다소 실망했을까. 불순한 상상이 여지없이 빗나갔을 때 느끼는 허탈감 같은 것 말이다. 하지만 다시 한번 작가의 역량을 느끼는 순간. 아, 이 바람… 한바탕 독자와의 숨바꼭질이 끝나고 새로운 차원의 바람과 만나게 된다.

새로운 기대와 열정으로 생명성이 충만한 바람이라면 누구든 바람나기를 바라 마지않는다.

통일전망대에서 북녘 산과 하늘을 바라본다. 철의 장벽이 우리를 막고 서 있다. 철쭉꽃이 만발하고 희뿌연 안개가 아스라이 먼 초소를 가리우고 있다. 내 조국 내 나라 땅인데 어찌하여 한 발자욱도 내 디딜 수 없단 말인가. 동족상잔의 피비린내 나는 6.25동란 전투로 이념의 벽에 가리워 남과 북이 오고 갈 수가 없다. 부모와 자식이 헤어졌고, 남편과 아내가 생이별하여 눈물로 그리움을 달래던 실향민의 한 많은 세월이 또 얼마였던가. 비가 오나 눈이오나 부

모님이 살아계신 고향 산천을 한번이라도 가고 싶은 애달픈 심정을
어떻게 달랠 수 있을까. 전 세계 나라들 중 분단되어서 통일되지 않
은 곳이 유일한 한반도 우리 땅이다. 안내자의 설명을 듣고 계단을
터벅터벅 내려오는 발걸음은 한없이 무겁기만 했다.

– 〈나를 슬프게 하는 벽〉 중에서

좋은 문학의 요건 중에 '근본적인 질문'을 하는 것이 빠지지 않는
다. 왜 우리만 분단되고 있는가. 왜 동족이 서로 맞서 있을까. 이별
은 특별하지 않은 일이건만 생이별이 웬말인가. 왜 하필 우리는 통
일을 전망대의 쌍안경으로만 관찰해야 하는지. 한반도라는 말은
상시 부정적인 관점을 풍기는 것일까? 등등, 작가의 머리는 온통
근본적인 질문과 해답 속에 작품의 무게를 더하고 있다.

우연이든 필연이든 작가의 관심을 끌기에 충분한 장소와 소재를
따라 들어간 공간에서 작가의 짐은 어깨를 아프게 하고 있다. 즐거
움을 찾아 떠난 여행길이 무겁고 메타포의 질곡을 넘어 수많은 상념
을 지어내어 남녀 간 사랑의 애증까지 이어질 때는 작가의 인식의
폭과 깊이를 보여주게 된다. 서에서 동까지 이어지는 내내 동물의
몸짓과 이치를 통해 인간이 배워야 하는 그 대자연의 가르침으로 대
신하여 작가의 소망을 가름하면서 작가 특유의 결말로 자아낸다.

동해의 태양이 수평선을 뚫고 오르는 것처럼, 남과 북의 벽은 언
제쯤 허물어질까?

청산이란 이름처럼 중의적 의미를 담은 지명도 드물다. 하도 많
아서 굳이 한자로 구분할 여유조차 없지만 어림잡아 그것이 지시
하는 의미는 자연스럽게 다가오는 것 또한 청산이다.

작가에게 청산도 그러한 의미이다. 첫 부임지로써 발령받고 달려간 곳이 청산이다. 발령 직전 애타게 고대하던 부모님과 작가의 갈증을 해소한 곳도 다름 아닌 청산이다. 배우자를 만나 백년해로의 가약을 맺은 곳도 청산이고 각각의 사연과 지점을 연결하는 선상(線上)의 무수한 에피소드로 가득한 곳도 청산일진데 어찌 작품에 등장하지 않을 수 있을까.

이곳에서 나는 인생의 반려자를 만났다. 그녀는 검은 돌 동네에서 자라 오로지 나 한 사람만 바라보고 청산으로 왔다. "여보" 하고 부르면 부끄러워 부엌에 숨어 나오지를 못하고, 한참 동안 기다려야 뾰죽이 얼굴 내밀고 미소 짓는 순수한 여인이었다. 아내와 함께 자전거 타고 보청천 둑을 달리는 장면은 동화 속에 나오는 한 폭의 그림 같았다. 비가 오면 여울 낚시로 피라미 갈겨니를 잡아 매운탕 끓이고 생선국수 도리뱅뱅이를 먹으며 행복한 밤을 지새웠다. 욕심도 거짓도 강물에 흘려버린 채 반쪽이 하나 되는 행복한 신혼의 꿈이 머물러 있던 곳이다. 청산은 사랑하는 제자들과의 만남, 집 안의 해 같은 아내와 동행이 이루어진 곳, 평생 교육자로서 삶의 터가 시작된 곳이다. 나무가 잎과 꽃을 피워 열매를 맺고 씨앗을 떨어뜨려 생명을 이어가는 그곳에 '머루랑 다래랑 먹고 청산에 살어리랏다. 어머니의 품처럼 행복했던 추억이 주마등처럼 스쳐 간다. 내일은 아내와 함께 그리움을 찾아 청산에 한번 다녀와야겠다.

– 〈청산연가〉 중에서

지명으로써의 청산은 고유명사임에도 불구하고 과학도의 길과 숲

한 터닝 포인트를 찍었던 공간이다. 또 청산은 흑석동을 패러디 한 '검은 돌 동네'의 처녀와 의 연을 맺게 한 공간이라는 것도 전술(前述) 했다. 가히 '청산이 청산인 것은 청산이기 때문'이라고 할 만큼 의미 가 남다른 곳이다. 가곡 「청산에 살리라」에서 청산은 '자연'을 의미하 고, 보통명사인 청산은 그냥 어디든 글자 그대로 '푸른 산'을 가르킬 것이다. 그 많고 넓은 의미를 함유한 청산이, 우연인지 필연인지는 몰 라도 작가의 시적 감수성의 바탕이자 자양분이 되었다는 것은 분명 하다. 고향 다음으로 하늘에 떠있는 그 어떤 무엇이 아니었을까. 누구 나 때가 차면 고향을 뒤로하고 떠나는 것처럼…장성하면 부모의 품 을 떠나야만 하는 자식의 도리처럼… 청산은 작가에게 고향 그이상 의 공간이자 부모의 그늘을 넘어 작가가 부모가 되는 공간이었다.

사랑스런 선물과 정성스럽게 쓴 편지를 받아보기는태어나서 처 음이다. 선물꾸러미 속에는 예쁜 마음이 듬뿍 담겨있었다. 편지 글 을 읽을 땐 감미로운 잠결에 꿈을 꾸는 것처럼 사랑의 연정에 빠져 들게 했다. 나의 향기와 빛깔에 맞는 이름을 불러 주었을 때 나도 달려가 그 사람의 사랑이 되고 싶어진 것이다.
한잔 술에 취하면 하루가 행복하지만 사랑하는 사람에 취하면 백 년이 행복한 것처럼 남몰래 간직하고픈 그리움이 애틋해졌다.
– 〈청산연가〉 중에서

주관적인 지극히 주관적인 눈으로써만 순수한 사랑이 싹튼다. 타자가 보지 못하는 감성을 타고들어가 잠자는 꿈을 깨우고 일으 킨다. 그 '별거 아닌 것'에 감동하고, 그 작은 정성에 '문화적 충돌'

을 경험하면서 매일 '소포를 기다리는 마음'으로 총각의 시대를 마감하면서, 결혼한 것도 그의 중요한 터닝포인트 중의 하나다.

매혹은 끌림 현상과 같다. 시인이 늙지 않는 이유도 그 어떤 것에든 다르게 보는 눈이 있어서다. 하찮은 사물 하나에도 다르게 보는 눈이 있어서 병이 들 지경에 이르러서 시적인 창작이 가능하다. 매우 직설적이고 주관적인 관점은 시의 기본기에 해당하기에 사람을 보는 눈도 다른 사람의 관점이 놓치는 부분에 끌림 현상이 생성된다.

일단 한 번 눈에 콩깍지가 씌워지면 세상 천하의 누가 뭐래도 귀에 안 들어오고 자나깨나 그 사람만 들어오는 것이 당연하지 않는가.

그 대상을 대하는 타인은 매우 객관적인 눈으로 보고 있기 때문이다. 물론 그 타인도 자신의 연애에 있어서는 마찬가지로 주관적이었을 것이 분명하나 단지 자신을 벗어날 수 없는 것이 에로스의 역할인 것을 자각하지 못한다.

근대화의 여진을 겪었던, 특히 급격히 발전하기 시작한 경제성장기에 그로인한 물질문명의 확산으로 성장 우선주의가 곳곳에 파고들 때는 말초적이고 감각적인 성향을 지향하는 분위기가 전 분야에 고조되었을 것이다. 하지만 '먹고살기'조차 힘겹게 살아오고 '젖배 곯아 식은땀을 흘리고 의식을 잃기조차 했던' 아이가 들었던 어머니의 기도는 '나라에 큰 역할'을 하게 해달라는 것이었다.

뒷간에 모아둔 잡곡과 농사지은 쌀들을 여러 해 동안 함께 모았고, 땅을 살 때면 마당에 쌀가마로 가득했다. 그날 밤 땅을 샀다며 기쁘고 뿌듯해서 얼싸안고 우시던 부모님의 모습은 지금도 눈에 선하다. 겨울에는 헌옷과 양말을 바느질로 기웠다. 코끝에 돋보기를 걸친 채 흥부전 토끼전을 읽으며 외로움을 달래고, 최진사와 암행 어사가 된 친구의 이야기를 밤 깊도록 들려주시기도 했다. 시련이 연단을 낳고 연단이 인내를 낳는다는 삶의 지혜를 가르쳐 주신 것 이다. 막내아들 태몽은 한편의 드라마 같이 너무도 선명하여 잊을 수 없다고 하시면서, 팔벼개를 한 채 소설 같은 꿈 이야기를 때마 다 들려주고는 "이놈은 어떤 어려움이 있어도 꼭 가르쳐야 해!" 중 얼거리셨다. 그 후 힘든 보따리 장사를 접고, 광주리를 이고 시장에 서 야채를 팔아 학비를 마련했다. 그해 겨울사범대학 입학시험 치 른 후 합격자 수험번호를 라디오로 발표하던 밤, 온 집안 식구들은 박수를 치면서 기뻐했다. 아들이 과거급제라도 한 것처럼 어머니가 말없이 흐느껴 우시던 눈물의 노래는 지금도 잊을 수 가 없다. 사업 을 하셨다. "너의 엄마 잘 모시거라"

– 〈어머니의 노래〉 중에서

청산의 순수한 청년은 그러한 세태 속에서도 철학적이고 순수한 서정을 지닌체 맑고 순수한 문학을 배태하고 있었던 것이다. 자유 분방하면서도 보수적인 자기검열을 게을리 하지 않았기에 자신을 둘러싸고 진행되었던 공적영역과 사적공간(territory)을 아담하고 소박하게 마무리 지었다.

정의(情意)적이었던 것도 어머니의 기도와 아버지의 가난 극복을 보며 쇠락의 전철을 도외시하고 맑고 순수한 문학정조를 지킬 수 있 었다. 인간다운 자존심을 방어하는 전선에도 긴장감이 있고 처절한 애사가 있어, 펜으로 무장한 전사들…예컨대 그전 오래된 안병욱, 김형석, 김동길 등이 다시 보면 우국지사(憂國之士)가 아니었을까?

대중영합과 다른 교육자와 과학자의 길을 끝까지 지킬 수 있었던 것도 '코 끝에 돋보기를 걸친 채 흥부전 토끼전을 읽으시며 마음 달래시고, 최진사와 암행어사가 된 친구의 이야기를 밤새 들려주시던… 모진 시련과 연단 인내가 배태한 결과였다.

'자식은 부모의 면류관'이라고 했다. 태몽부터 이어진 부모와 보이지 않는 탯줄은 바로 '소통'이다. 하늘과 이어진 소통은 곧 기도라고 했다. 소통이 끊어지지 않는 한 자식은 하늘의 도를 이어받아 지상에 실현하는 것 아닐까? 작가의 수필을 보면서 깨닫는 것이 하나 둘이 아니다.

날씨가 궂고 찬바람이 부는 날에는 손칼국수집이 더욱 생각난다. 어머니의 구수한 손맛과 푸근한 사랑이 그리워서다. 어머니는 자식이 배고플까 봐 늘 고봉밥으로 퍼 주었다. 밥그릇에 한 주걱 더 퍼 올려놓는 애틋한 사랑이다. 큰 양푼 그릇에 보리밥과온갖 나물을 넣고 참기름을 떨어뜨려 잘 섞은 후 된장국과 먹을 땐, 이웃집 아주머니들까지도 함께 나누어 먹었다. 오랜 세월이 지나 할아버지가 된 마음 자락엔 아직도 진한 향수처럼 자리를 잡고 있다. 오늘도 손칼국수 집을 향하는 나의 발걸음은 멈출 수가 없다.

– 〈손칼국수〉 중에서

칼국수, 그것도 손칼국수는 그냥 칼국수가 줄 수 없는 그 이상의 정서를 가져온다. 계량화와 수치 그래프로 그려지는 자본주의하에서 변절한 부문이 어디 한 둘이 아니라는 것은 새삼스럽다. 역시 인생 대 선배가 쓴 이야기 속에서도 동시대를 건너온 경험을 토대로 한 수 토를 달 수는 있다.

칼국수는 맛과 영양에 있어 논란거리가 많긴 하지만, 칼국수를 먹는다는 것은 '추억을 먹는 것'이라는게 지배적이다. 거의 감지하지 못하거나 굳이 의식하지 않더라도 춥고 비오는 날엔 저절로 떠오르는 게 그 칼국수다. 남녀노소 가릴 것 없이 반사적으로 찾게 되는 이유는 거슬러 거슬러 오르다 보면 작가의 형상화 시켜낸 것처럼, 없이 살던 시절 '(칼)국수가 뱃속에서 불으면서 포만감을 주어 든든'하게 끼니를 때울 수 있었던 전승(傳承)때문일 것이다. 누구도 그 틀에서 벗어날 수 없으니 주위에 간혹 국수가 건강에 안좋다는 등 온갖 의학 건강상식일랑 잠시 내려 놓아주시길 바란다.

작가의 작품을 읽고나서 맛깔스러운 칼국수 생각에 쓸려, 만들어 먹을 수밖에 없었다면 작품을 읽고 쓰는 이유에 대한 해답이 될 것 같다. 카타르시스 속에서 치유되고 공감과 소통 속에서 현실을 무난히 건너 미래를 맞이할 수 있게 하는 것은 작가가 세상의 닥터가 되는 이유이기도 하다.

이참에 음식에 대한 역사나 관점도 다르게 보는 연습이 필요하다. 음식 그 자체의 영양학적 관점도 중요하지만 음식은 그 시절을 먹는 것이기도 하다. 그 추억이기도 하고 함께 했던 가족들과 이웃을 먹는 일이다. 더 거슬러 오르면 어머니의 젖을 찾아 가는 몸짓 아닐까. 작가의 상상력(육감)과 오감은 경계가 없으니까.

작가는 아버지를 그리며 가시고기를 떠올린다. 아버지는 누구에게나 어려운 존재다. 서먹서먹하고 과묵한 아버지상은 그 시절을 살아온 사람이라면 누구에게나 서려있다.

아버지라고 좋은 옷 한 벌 입고 싶지 않았을까. 아버지와 어머니의 역할은 다르지만 속내는 하나여서, 작가의 눈에 아버지는 매일 제일 먼저 하는 일이 소죽을 끓이는 일이었다. 소도 가족의 하나에다가 당시 소는 대학에 보낼 수 있는 중요한 원천이었을 것이다. 일꾼 중의 가장 큰 일꾼이었다. 논 갈고 밭 가는 일꾼이 또 어디 있을까. 큰소리 칠 수 있었던 대상도 역시 누렁이가 아니었을지. 경운기는 꿈도 못꾸던 시절, 소는 가족이자 충직한 일꾼으로서 아버지가 의지했던 중요한 역할을 다 해냈던 소에 대한 스토리는 반려동물 시대로 접어든 현재로 전해져서 사람과 동물의 유기적인 순환과 연대를 재현해주고 있다. 자식은 목욕을 안 시켜도 소는 자상하게 목욕시켰던 아버지는 가시고기 사랑 자체이다. 마른 손이 갈라지고 잔주름이 깊어가도 말없이 큰 혼과 가슴으로 세상을 선물로 주시고 뼛속까지 다해 사랑 주고 당신의 아픔같은 것은 모르시다 별이되어 사랑과 이름만 남기고 가셨다.

강은 모든 추억을 담고 흐른다. 해와 달 별빛 무리를 모두 담아 흐르는 강은 실상 아버지의 강이라고 단정짓는 작가의 맘이 고읍기만 하다. 그 또한 자식의 도리를 넘어선 승화된 효(孝)의 영역이라 칭하지 않을 수 없다.

"그럴 줄 알았지 그럴 줄 알았어. 나라고 네 얼굴 보고 가랴하겠냐만, 널 보고픈 마음 장백송 가지에 새소리로 두고 간다. 아니다 아니다 그게 아니다. 북경, 청진, 장춘으로 온 것이 너의 비위 거슬렸다면, 이다음엔 개성, 원산, 평양으로 돌아오마, 그때맑은 물 고운 몸매 보여주면 언덕길을 뛰어내려 얼싸안고 울리라." 오늘 보지 못한 천지는 통일이 될 때 까지 기다려, 다시 와보겠다는 넉넉한 마음

의 고백이다. 얼마나 따듯하고 갸륵한 마음가짐인가. 한번 와서 백
두산 천지를 못 보았다고 속상해하고, 볼이 부어 불평하며 원망하
고 투정 부리던 나의 속 좁음이 한없이 부끄러웠다. 아쉬운 마음과
속상했던 마음이 눈 녹듯 사라졌다.

– 〈두고온 백두산〉 중에서

교과서적인 정형성을 모범적으로 갖춘 작품으로써 손색이 없다
는 것을 보여주는 '두고온 백두산'은 글자그대로 교과서에 실려 청
소년들의 필독서로써 추천할 만하다.

구성으로 볼 때 전체 주제와 소주제들로 나눠 통일성과 일관성,
마지막에 완결성과 균형을 유지하면서도 미적인 효과가 극대화 되
어 있는 작품이다. 작가는 인용을 통하여 여행 중의 어색함마저 제
어했던 순간을 작품으로 끄집어내었다. 가이드의 통쾌하고 재치
있는 패러디같은 멘트는 독자로 하여금 긴장을 해소하고 대단원을
내릴 수 있게 한다. 주제와 벗어난 내용을 삭제하고 주제를 살리는
데 필요한 요소들로 구체화 시킨 '두고온 백두산'은 작가특유의 표
현을 최대한 살리면서도 서로 호응시켜내어 술술 읽히면서도 주제
의식을 파악하기에 무리가 없다.

이는 작가의 모든 작품에 흐르는 작풍이기도 하지만, 독자에 대
한 배려와 작가의 승리라고까지 추켜질 법하다.

전작에 걸쳐서 문단과 문단이 단절되지 않고 문맥이 자연스럽게
통하도록 배열되어 있다는 점에서 작가의 말대로 뼛속 깊이 문학
DNA가 웅크리고 있는 듯하다.

봄이 되면 잠에서 깨어난 개구리처럼, 인생의 봄이 되면 활짝 기

지개를 켜는 태도가 집필이 아닐까 상상해본다. 집필은 문학적 감성과 표현을 통해 자연인(개인)으로서의 길을 걷기 시작하는 작업이기 때문이다. 작가의 전 편에 걸쳐 일관성 있게 보이는 면을 따라가면, 뼈대(구성)에 살을 붙이고(修辭) 혈액을 순환(표현)시켜 통하게 하는 신경망처럼 느껴진다.

새삼 통섭의 중요성을 상기해본다. 과학도가 쓴 문학의 세상은 인문학을 더욱 풍성하게 피워 새로운 르네상스를 꿈꿀 수 있지 않을까.

한잔의 백년차를 마시면서 아리수(한강)와 연결짓고, 그것들과 연관관계 한에서 연리지를 뽑아내는 유창한 음율은 작품을 매우 시적이게 한다. 사이사이 수많은 지식을 담아주는 것도 몸에 벤 교사의 품성을 감추지 못한 결과다. 같은 공간과 오브제를 보더라도 작가마다 똑같은 텍스트가 반복되지 않는 것은 그가 좋아하는 바둑과 하등 다를 바가 없다. 작가 특유의 개성과 관점이 두드러지는 대목이다.

떨어진 것들이 모이고 합쳐져서 강물이 되고 거대한 힘으로 강줄기를 따라 도도히 흐른다. 물은 순리를 지키며 웅덩이를 가득 채운 후 흘러간다. 흘러가다가 산과 바위를 만나는 어려움이 있을 땐 돌아갈 줄 아는 여유도 있다. 우리네 인생의 삶도 순리대로 돌아갈 줄 아는 물과 같이 살수는 없을까? 두물머리 말죽거리에서 막걸리 한 잔으로 목을 축이는데 나룻배에 사공은 온데 간데없고, 세워진 황포 돛대만이 노을 따라 흐느낀다.

"봄 여름 가을 겨울 임을 싣고 사랑 싣고 아리수 아라리오.. 첫사랑 묻어놓은 그날 그 자리 그리우면 돌아오세요." 노래가 정겹게 들려온다. 물이 있음에 내가 있고 내가 있는 곳에 물이 있어, 아리수 나그네는 더불어 살아가는 감동의 눈물에 젖는다.

– 〈아리수 소묘〉 중에서

'아리수 소묘'에서 소묘에 방점을 찍고 보면 작가의 보다 근본적인 질문과 응답 속에 처음과 마무리로 완결되는 것을 엿볼 수 있다. 소묘라는 무의식적 표현이 주는 이미지로써 작가의 작품을 대하다 보면 소묘라는 표현은 '사물과 보는 방법과 통찰력'을 드러낸 제재(題材)라는 것도 알게 된다.

김영기 수필가의 수필에는 사람에 대한 깊은 애정이 굵은 선속에 면면히 흐르고 있다. 이는 어쩌면 김영기 작가의 '작가 정신'이라고 말해도 좋을 것이다.

지금의 작가를 있게 한 것은 먼저는 어머니와 아버지의 사랑이었고 그다음은 아내의 사랑, 그 사랑으로 파생된 작가의 제자와 이웃과 세상에 대한 사랑이다.

한 알의 밀알로 썩어지는 고통이 있어야 진정 온전한 한 사람이 세워지고 또 그 사람이 밀알로 썩어져 다음 세대를 세우고 또 다음을 이어간다. 기꺼움으로 주는 사랑이 아니라면 세상은 결코 살만한 곳이 되지 못하리라. 그러므로 사실, 사랑은 단순히 마음을 따뜻하게 해주는 것 이상으로 우리의 생명성의 근원으로 작용한다. 우리의 삶은 생명성의 강화 즉 '사랑할 수 있는 능력'으로 나아가는 성숙의 과정으로 모든 모멘텀들이 작동하는 것은 아닐까.

그러한 모멘텀들로 작가의 생이 이루어졌고, 그러한 삶으로부터 쓰인 작품들이 생명성을 향한 모멘텀으로 독자들에게 작용하기를 바라 마지않는다.

바람난 남자
(Man in Affair)

The wind is blowing. I can feel the wind blowing all over my body through my nose and by seeing the branches shaking. The wind sways roughly to show off its existence and leaves after staying a while. We, men, sway and lose one's mind sometimes by any situation or by whom we encounter with.

The wind blows inside me as well. It thrashed my soul beyond the limit than I felt in body and mind. This swaying made me flutter and sleepless no matter what state I am in. It does not look like it shall go by soon as a cool, refreshing breeze or a southerly wind that drives heavy rain. I describe this as a recent phenomenon which has sprung up me as a wind and has turned my life over.

I was born in countryside of Chungcheong Province, I grew up in a hard way as a child of a poor farmer, as was everyone had at that time. We cannot choose the parents we shall meet and places in my will. It is also a blessing to be born and live in a suffering poor life or to live wealthy and have an enjoyable life according to the ability of parents. Who does not want to be born in a well-off country and live happily and a prosperous life ever after in a wealthy family?

I took bread-and-butter issue priory over my talent or aptitude, and I spent half of my life living a stereotypical life by grabbing a job according to my chosen major. I studied the natural sciences, presented seminars and papers and taught what I have to students all the way up to my age of sixty. I was living in a one plus one is two, three times three is nine typical framed lives. I was not able to get free from a big fish in a little pond. I was living in a life without acknowledging another way of life

When I was bumming around after more than 40 years of public service, I unknowingly tried to go on a duty with a tie and shoes on in the morning. I was amazed at how the force of habit reacted my body. I was bitter at the figure of a middle-aged man who had to bear a body responsive that way. When woke up on the journey that I had lived for my family by turning away from inner me, a new world came to me.

We should not live in a living death at this centennial age, but should strive and enjoy the time today. Now, we have to transform our figure to a light sneaker with no-tie to go out, and face a refreshing breeze.

Swayed by what? I would like to sway right once belatedly. I found the Four Gracious Plants(plum, orchid, chrysanthemum and bamboo) which is love-worthy to spend along with the rest of my life. It did fill my empty heart to a certain degree. And then I was able to soothe my faded nostalgic memories. It was a harmonica. It means an another passing fancy. I have searched here and there to seek what I wanted to do all this time. And then, I met an object that I really want to have affairs with. If Four Gracious Plants and Harmonica are a brief flowery breeze, this blowing wind would be a winds of typhoon forced swayed me strongly.

It is literature that enables path of footsteps I have walked all my life together piece by piece. My heart has been stolen by which capable comfort my heart at the end. It was an enjoyable and pleasant time with those hobbies that I had thought in the past truly. To immerse in literature and art by writing poetry, singing and drawing all alone.

Who would knows this amazing secret that you can converse about as you walk down the street and look at the flowers and trees?

A heart-fluttering love begins on the shining bright moon rising night. The morning dew drops enable you to meditate, and long for mother's warm love by sitting besides the window in a rain dripping down. I will awake up in bed and fall in love on my desk whenever the captured what I dreamt of conjuring up Writing down the long journey on the paper sheet, and I laugh and cry alone. I am an insane man who fall in love affairs. I am now in a deep devotion to literature. Nothing capable could cool this belated love affair fever down The dresser and countenance could be varies when you are in love affairs

On a day I attend to the elementary reunion, my friends looking me in an unusual glance.

"You look weird recently, seeing someone?"

"why is that?"

"It's on your face! Who is it?"

Everyone laughed.

After returning home, I looked like an inebriated decent fellow sit in front of the mirror with a flushing and a faint smile. A person who has taken off the heavy stupidity life, drummed tom-tom, and raised his voice to sing the song "NAMDOCHANG".

As the saying add a dot to the Korean letter "NIM" turned to "NAM", and if removed a dot from the Korean letter "NAM" turned to "NIM", For a moment, a change raged in my mind and swayed strong enough for me to meet my beloved.

How can I keep this thrilling love coming up? When one's mind leaves, one's body leaves. Oh, I have now crossed a river that I cannot return. I wanna deeply fall in this love and spend the rest of my life with my beloved.

To express my deepest inspiration as a poem and write down a very truth of life by hand. It was a dream that I had buried in my heart on sleepless nights over my sweet first love. The writing instructor opened my eyes to the literary world by sharing the joys and sorrows of love, the solitude and the pain with his heart. It enables us to have the wisdom of life to draw metaphors from the writing rhyming a confession of pure life .

When that day comes, I want to be a fragrant flower, write a letter of hope to dreaming children, and be a ferry carrying gifts of comfort to those who mourn. As for me, I am a man swayed in love who fell in love with writing, dancing and flapping the wings around belatedly, It seems that the swaying will not stop for a while.

– 번역 : 야마다 요시코(Yamada Yoshiko)

아버지의 강
(River of Father)

I miss my father who has never spoken his mind, which always discomforts the relation between father and son. He, my father, always swallowed his pain with thickly wrinkled skin all over the fingers and his bloody chapped feet soles...It's nothing, he just waved his hands and smiled, and says it could have been worse. And wiped away his tears with his back turned

"Born in this tough world, It was us lucky to go through this difficult world, not our children." A word from the protagonist, Deoksu, in "International market" film. It is the story about a father's heartfelt confession and tough life experienced. Regardless of gender, age and nationality, the story of a father who suffers and struggles for family is always captures one's heart. Fathers' of our age have never lived their life for once. The film reminds me of stickleback fish sacrifices its body throughout the movie.

And overlapped my father's life upon the love My father's routine began before dawn, and his first duty was to untie the branch bundle and light the fire in the kitchen to feed the cattle. Opening the lid when the cast iron cauldron bubbling rale and sheds tears drops out from iron lid slit, put in rice chaff and stirs and put into manger. I can see my father over my shoulder that he smiles and satisfies on seeing this "NuLeongYi", our No.1 asset of my house, eating satisfying with rounding his fist-sized eyes.

On a hot summer day washing "NuLeongYi" at riverside to remove the smell, and then, laid new straw in the barn.

"Must be refreshing today!" mumbled himself and clean his back and neck at the well.

"What's wrong with that cow baster!" He shouted at it even in the breakfast whenever he saw the cow doesn't take fodder. And then, stirred rice into his soup to the manger. He felt reliable in "NuLeongYi". Laughter flowed whenever give a birth to a baby cow as if he had gotten a new child. Because it is the only bread for a poor farmer if a good breed makes a good penny gain at the market

They are friends when carrying an A-frame on one's back and drives cattle to plow the farmland. It seems that I still can hear his humming of melodious farmer's song passing through paddies and fields. They make a good chemistry when plowing fields. "IREOLU!" go to right and "JEOLOLU" go to left.

"ERYA!ERYA!" speed up pace, and "Wow, wow" meant stops. Their dialogue was just by simple words. Cut a bundle of fodder, dump into barn front then it opens mouth and wrap it with tongue and grind with molars. And ruminate until late night. It can be seen gratitude feeling being communicated when looking staring happily each other. When harvesting, carrying the ripen crests and barley crop on the cows' back. NuLeongYi in the barn is a friend, a lover and a family member of father.

Knees gets worn and torn after spent midsummer with short pants and sleeveless undershirts over.

I felt heartbreak to see my father in a sock that sticking out of toe. My father wearing clothes with lots of patches sewn up by my mother, and which made him looks like the Pumbas[1].

And, father is worrying whether his son has gotten wet by rain or snow even when himself blow breath on freezing hands with his tattered clothes. He is a father who bought sneakers and gloves for his son using the money saved penny by penny

He made cotton fields to make cotton quilts when my sister got married. When the pepper covered the red pepper field, he picked the red ripen ones into burlap bag, and sold them in the 5-day market[2] to gain the tuition. My father, who grabbed his hunger

---

1) Pumbas : a begger who goes around or a person who sell merchandise around a marketplace or street to entertain
2) open a market every five days

reject having a bowl of common rice soup and turned around....

In the evening when the school bus rushes on red clay road with dusting up, it is only then capable stretched his painful waist. The father's waiting for son's coming by any chance without knowing sunset is the kind of silence love of a father. Cevted all the love of father can be said as the sacrifices love of stickleback fish .

I am turning into a grandfather who could not read a tiny letter without magnifying glass. My children married off and I am in an enjoyable life with my grandchildren's cute tricks. I am spending in a life by seeing my grandchildren grows and intend to giving away all I have to them. Sing out "Let's be well-off!" and overcoming poverty and hunger. In remembrance of my life, I had lived only for my family and children. The heart of my father has enveloped my inside heart with my hollow empty feeling .

I visit to the grave whenever I miss him. pasque-flower aligned with at sunny site. He greeted me with a white-haired appearance after raising his descendants to the end with deepest love. I gulped hot saliva to the uvula and tried to hand on the grass of the mound.

"You had a hard time, too, right? You're doing great. Good job."His voice flowing down to my heart. I can't pay back the love I received from the father to the last, the river of my love is a parental love which toward again to the children. Like that, father's love turn into a river and flows and flows.

– 번역 : 야마다 요시코(Yamada Yoshiko)

바람난 남자

초판 1쇄 · 2022년 7월 20일

지은이 · 김영기
제 작 · ㈜봄봄미디어
펴낸곳 · 봄봄스토리
등 록 · 2015년 9월 17일(No. 2015-000297호)
전 화 · 070-7740-2001
이메일 · bombomstory@daum.net

ISBN 979-11-89090-56-2(03810)
값 16,000원